my switzerland

www.swisstravelcenter.ch
Hallwag INTERNATIONAL

THE 10 REGIONS OF SWITZERLAND

Jura

Basel-Northwestern Switzerland

Zurich

Eastern Switzerland

Lucerne-Central Switzerland

Berne-Bernese Oberland

Graubünden

Western Switzerland

Ticino

Valais

CONTENT

The 10 regions of Switzerland 2
Lucerne - Central Switzerland . . . . 5 – 17
Zurich . . . . 19 – 27
Eastern Switzerland . . . . 29 – 43
Graubünden . . . . 45 – 65
Ticino . . . . 67 – 83
Valais . . . . 85 – 105
Western Switzerland . . . . 107 – 119
Berne - Bernese Oberland . . . . 121 – 145
Jura . . . . 147 – 153
Basel - Northwestern Switzerland . . . . 155 – 167

English - Captions . . . . 168 – 169
Deutsch - Bildlegenden . . . . 170 – 171
Français - Légendes . . . . 172 – 173
Italiano - Didascalie delle immagini . . . . 174 – 175
Nederlands: fotolegende . . . . 176 – 177
Español - Leyendas . . . . 178 – 179
Português - Legendas . . . . 180 – 181
Русский - Пояснения . . . . 182 – 183
日本語 — 説明 . . . . 184 – 185
中文 — 图释 . . . . 186 – 187
हिंदी – चित्रावली . . . . 188 – 189
عربي - روائع الصور . . . . 190 – 191

Picture record - Impressum 192

LUCERNE - CENTRAL SWITZERLAND

Reiden
Dagmersellen
Kaltbach 10
Beromünster
Sursee
Hochdorf
Willisau
Neuenkirch
Emmen
Wolhusen
Littau
Hergiswil
Malters
Napf 1408
Entlebuch
Schüpf-
heim
Sörenberg
Marbach
Wiggen

Pfäffikon
Cham Baar 14
Zug
Küssnacht
a.R.
Schindellegi
Lachen Siebnen
Unterägeri
Vorderthal
Arth
Einsiedeln
Luzern 5
Goldau
7 *Rigi*
1797
Schwyz *1406*
Kriens 6 Buochs
Horw *Vierwald-*
stättersee Brunnen *1550*
2120
Pilatus 8
9 *Fronalpstock*
15 Stans
Alpnach
Stanserhorn
Sarnen
Sachseln 16 **Flüeli-Ranft**
Altdorf
12
Engelberg
Bürglen
1948
Klausenpass
Giswil
Erstfeld
17 **Lungern**
Titlis
3238
Amsteg
2224
Sustenpass
Wassen
Schöllenen *2044*
13 *Oberalppass*
Realp

BÜRGENSTOCK

cave - matured cheese

14 ZUG

ZURICH

SECHSELÄUTEN

THE PARADEPLATZ

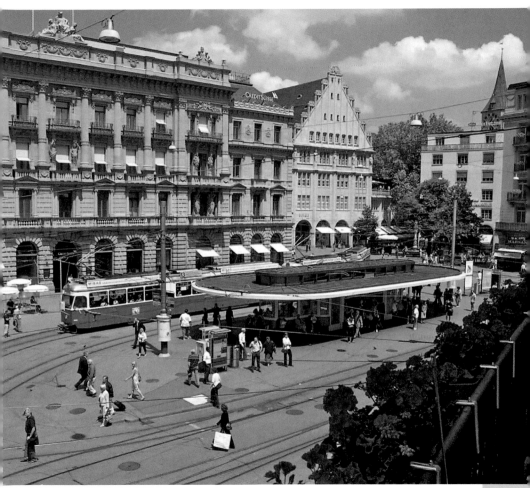

THE GROSSMÜNSTER

Schweizerhof - Gasse

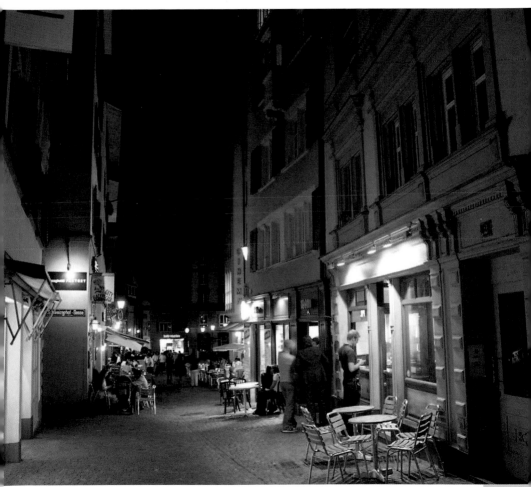

WADENSWIL
GANYMED

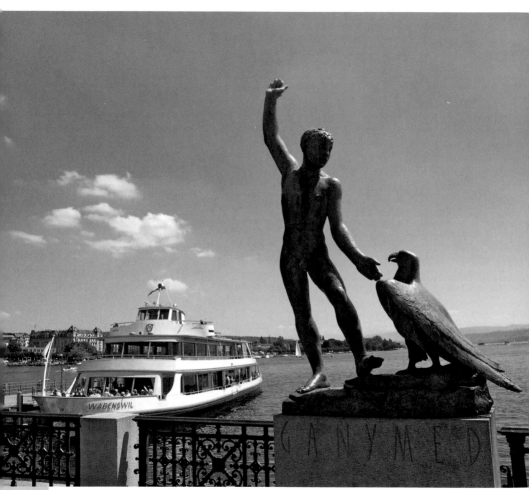

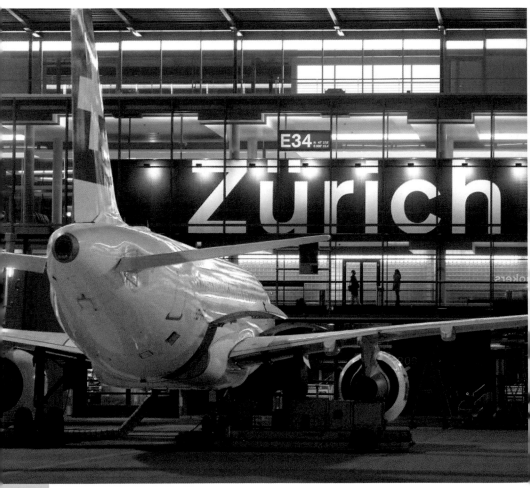

E34
Zurich

EASTERN SWITZERLAND

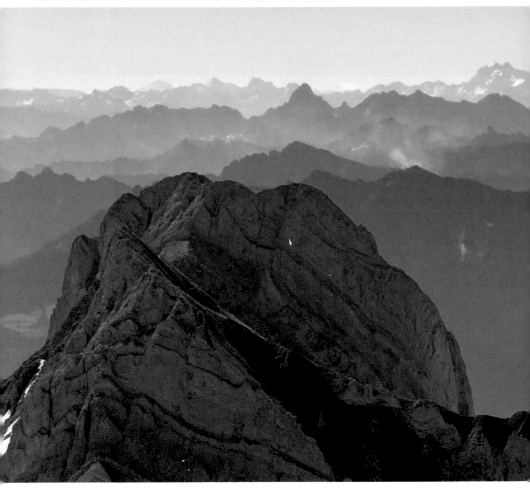

STEIN AM RHEIN

LE GRUYÈRE
SWITZERLAND
réserve
Vacherin Fribourgeois
TÊTE DE MOINE
Fromage de Bellelay

TRADITIONAL COSTUMES

HOTEL SCHWANEN
STEINBOCK

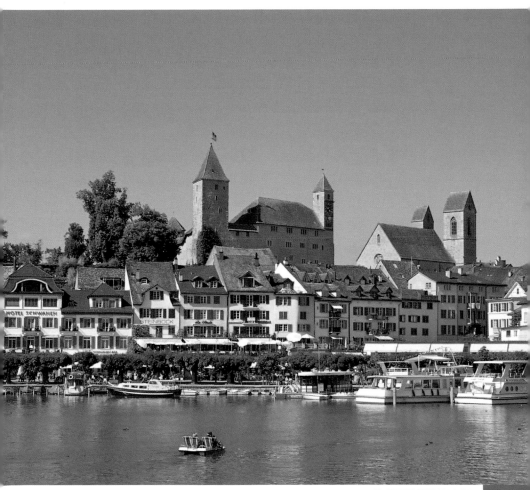

GRAUBÜNDEN

Balzers
Maienfeld
Landquart
Schiers
Küblis
Zizers
Untervaz
Klosters
Samnaun
Griosch
Chur
61
Vorab
3028
Flims
Laax
58
Rheinschlucht
Bonaduz
Domat/Ems
50
Arosa
Davos-Dorf
Davos-Platz
48
49
Glaris
3312
Piz Buin
Ardez
Scuol/
Schuls
55
Tarasp
S-charl
Flüelapass
2383
Inn/En
Susch/
Süs
Zernez
Tödi
3614
Ilanz
Trun
Vorderrhein
Disentis/
Mustér
Sedrun
2044
Oberalppass
1547
Lenzerheide
Cazis
Sertig
Dürrboden
Thusis
Safien-
Platz
Via Mala
52
Tiefencastel
47
Filisur
Nationalpark
65
Ofenpass
2149
Müstair
64
Run
Vrin
Vals
52
Sogn
Gions
1914
Andeer
55
Zillis
Bergün
Zuoz
54
2312
La Punt
Sta.Maria
V.M.
2501
Savognin
Splügen
Hinterrhein
Mulegns
St.Moritz
53
Samedan
Pontresina
Splügenpass
2113
2065
Pso d.
59
S.Bernardino
S.Bernardino
2284
Bivio
Julierpass
Silvaplana
56
2315
Juf
Maloja-
pass
1815
51
Sils
2328
45
Pso.d.
Bernina
4049
Piz Bernina
Mesocco
Rossa
Soglio
62
Vicosoprano
Poschiavo
57
Lostallo
Brusio
Roveredo

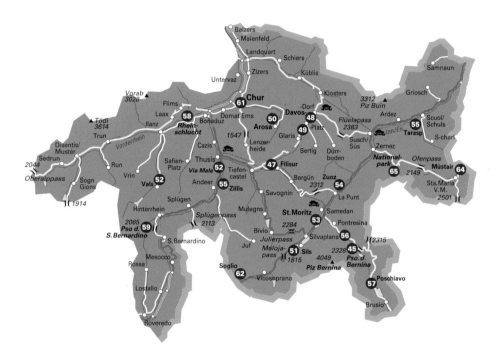

WÜRTH
WÜRTH
UBS
GENERALI
SPENGLER CUP
DAVOS

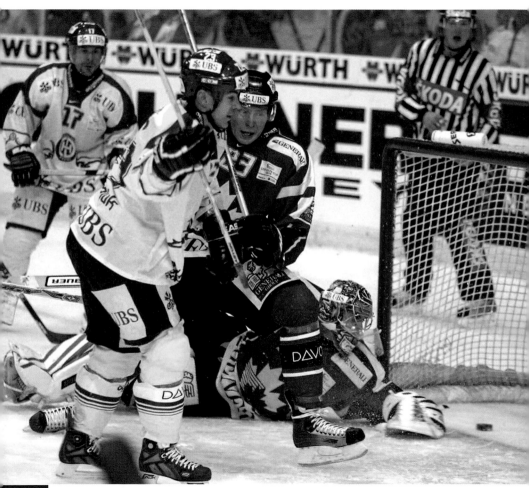

Arosa

52 via mala gorge

thermal spa, vals

TARASP

ZILLIS

Aussichtswagen

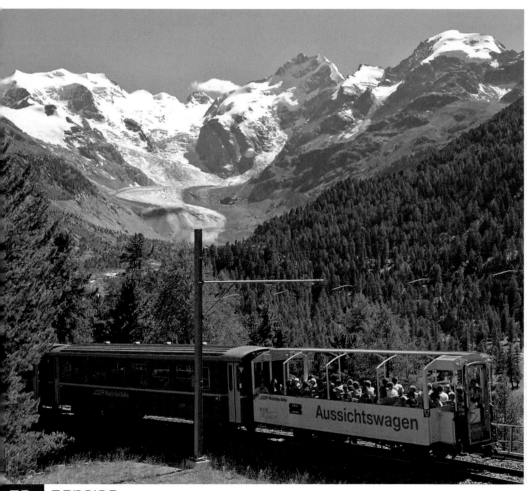

Breakfast

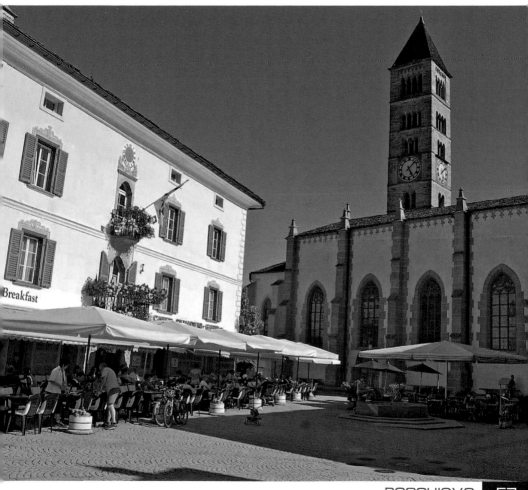

UPPER RHINE GORGE

S. Bernardino
2066 m
6778 ft
A.C.S.

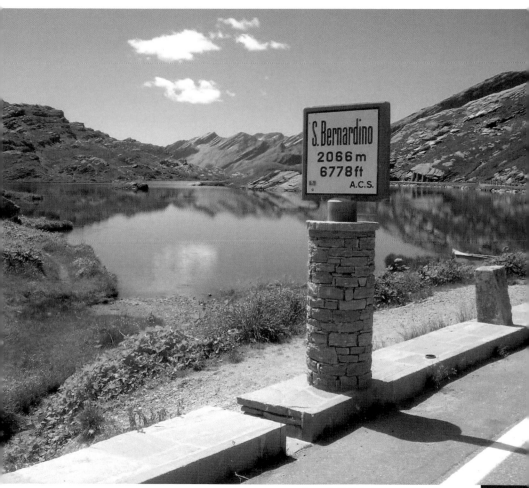

SILVER THISTLE

müstair

TICINO

RISTORANTE MIRALAGO
RISTORANTE TERRAZZA
MIRALAGO

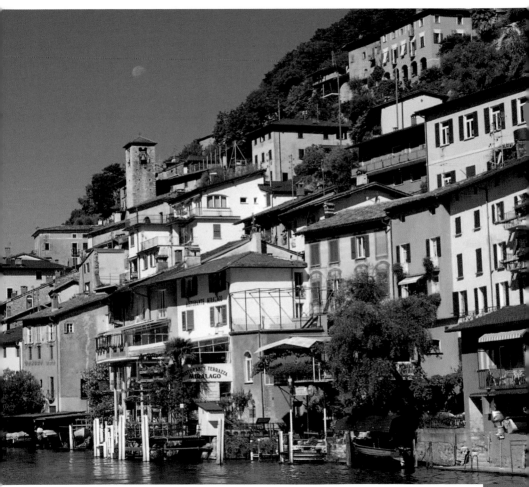

maGGia VALLEY

Lavertezzo – Verzasca Valley

SWISS NATIONAL DAY

swissminiatur

MACELLERIA
SALUMERIA
D.GABBA

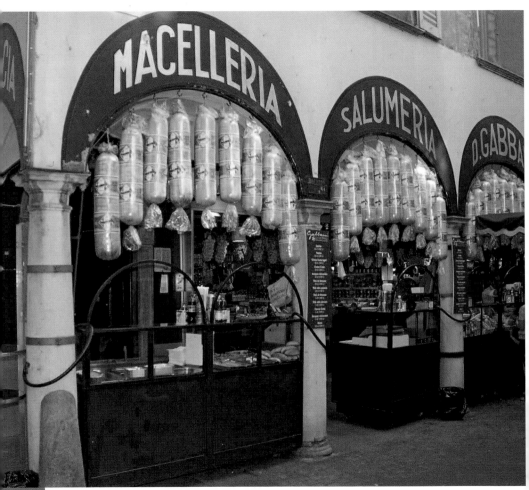

antico
GROTTO
mai morire

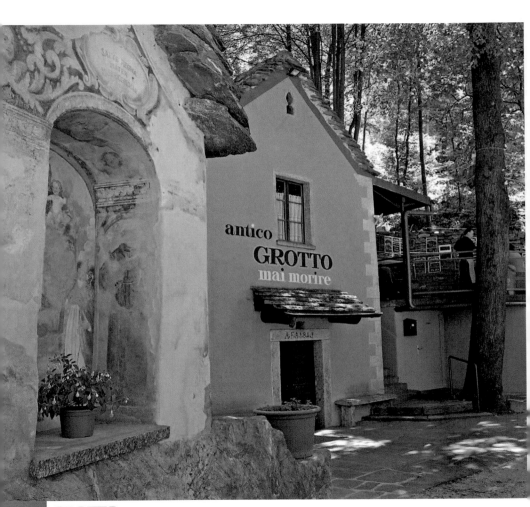

Grotto

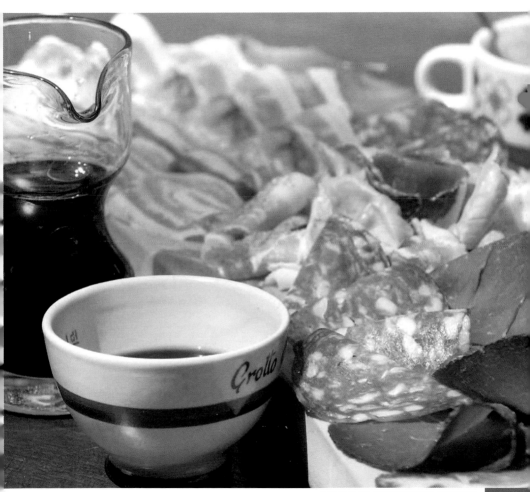

CORIPPO

valais

St-Gingolph

Le Rhône

Vionnaz

Monthey

Morgins

St-Maurice

Champéry

Martigny

1526

Sembrancher

Orsières

Champex

Ferret
2469

Col du
Gd St-Bernard

Riddes

Saxon

Verbier

Fionnay

Conthey

Ardon

90 **91** **88**

St.Léonard
Sion

Grône

92
Euseigne

Grimentz

Evolène

Zinal

94

Barrage
de la
Grande
Dixence

Arolla

Grand
Combin
▲ *4314*

Crans-
Montana

Leukerbad

Sierre

Agarn

Vissoie

Gruben

4505 ▲
Weisshorn

Matterhorn
4478 ▲

95
Gornergrat
4634 ▲ *Monte*
Rosa

Turtmann

Stalden

Dom
4545 ▲

St.Niklaus

Grächen

Täsch

Zermatt

87
Stellisee

Lötschental

98
Goppenstein

89

Gr.Aletschgletscher

4195 ▲
Aletschhorn

85

97

Bettmeralp

Fiesch

Mörel

Brig

Visp

103

Simplon-
pass

2005

Simplon

Saas
Grund

105 **Saas Fee**

99
Mittel-
allalin

Gondo

Ulrichen

G o m s

2478
Nufenenpass

102

Blitzingen

Grimsel-
pass
2165

100 **101**

Furka-
pass

2431

Oberwald

EUSEIGNE – VAL D' HÉRENS

GRANDE DIXENCE   CUSTOM

Gentian

wooden masks

HOTEL BELVEDERE
Belvedere

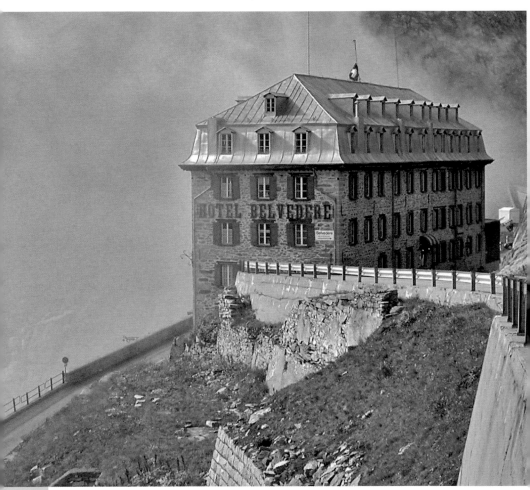

WESTERN SWITZERLAND

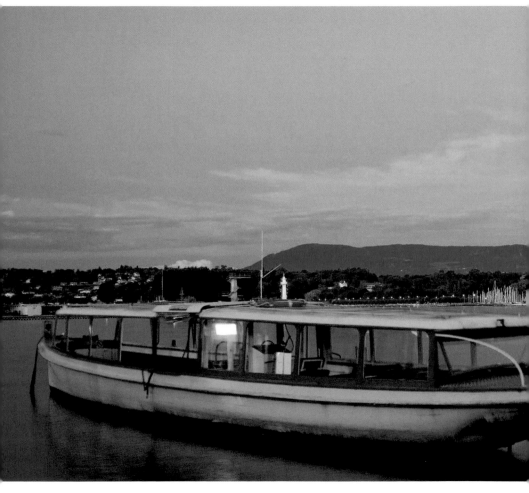

La Neuveville
Le Landeron
Neuchâtel 116
Kerzers
Bevaix
Murten 114
Portalban
Lac de Neuchâtel
Estavayer-le-Lac
Avenches
Flamatt
Grandson
Yvonand
Payerne
Düdingen
117 Tafers
Fribourg/Freiburg
Yverdon-les-Bains
Lucens
Le Bry
La Roche
Plaffeien
Orbe
Moudon
Romont
Riaz
Schwarzsee
La Sarraz
L'Isle
Echallens
Vucherens
Bulle
Broc
Jaun
Cossonay
Epalinges
118 **Gruyères**
1509
Bière
Bussigny
Renens
Oron-la-Ville
Châtel-St-Denis
Château-d'Oex
Aubonne
109
Morges **Lausanne**
Pully
Lavaux
110
Begnins
Chexbres
Vevey
112 111 **Montreux**
St-Cergue
Rolle
113
Gland
Le Léman
Villeneuve
Leysin
1445
Les Mosses
Chavannes-de-Bogis
Nyon
Coppet
Aigle
Les Diablerets
Versoix
Collonge
Villars-s-Ollon
Meyrin
Vernier
108 **Genève**
Bex
Gd-Lancy
107
Chêne-Bougeries
Chancy Onex
St-Julien-en-G.
Veyrier
Le Rhône

geneva

HOTEL AULAC

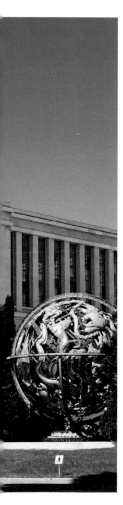

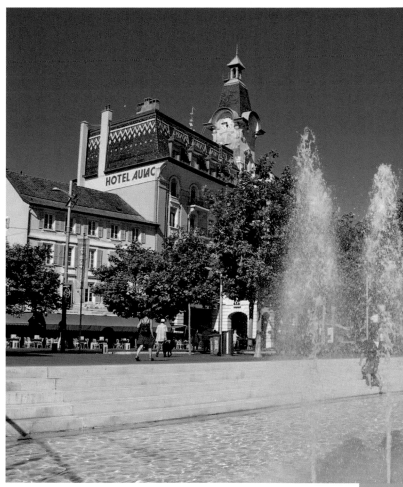

Dieu est ma Tour
et
ma Forteresse

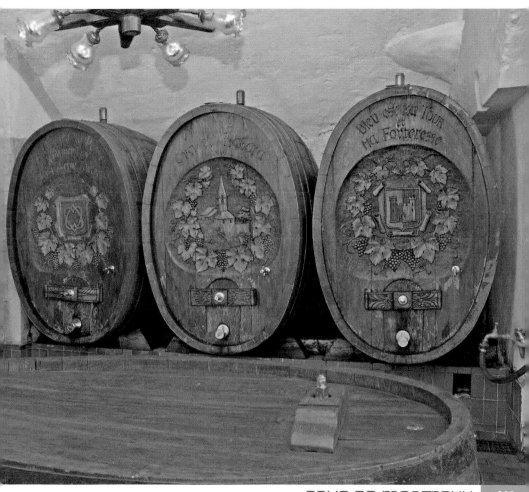

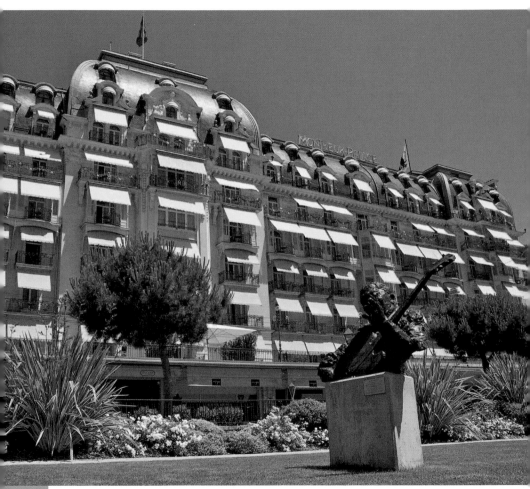

MONTREUX-PALACE

Cailler
of Switzerland
CHOCOLAT AU LAIT DES ALPES SUISSES - SCHWEIZER ALPENMILCHSCHOKOLADE
LAIT-MILCH
Lindt
DOUBLE LAIT
LAIT

BERNE - BERNESE OBERLAND

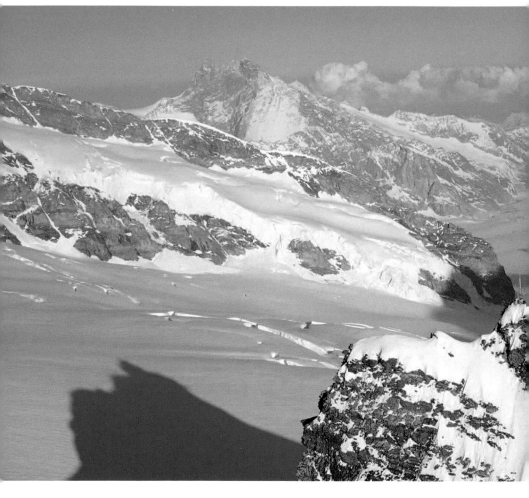

Wiedlisbach
Aarwangen
Wangen a.A. Langenthal
Herzogen-buchsee
Rohrbach
Biel/Bienne
Twann **144** Büren a.A. Koppigen Huttwil
Ligerz Studen Bätterkinden
145 Nidau Burgdorf
Bielersee
Aarberg Lyss
Woblen Zollikofen Hasle ▲ Sumiswald
Ittigen Ramsei Napf 1408
122–125 Bern
Laupen Worb Biglen **Emmental**
131 Langnau
Köniz
Belp Konolfingen
Münsingen **127**
Eggiwil *Brienzer*
Schwarzenburg *Rothorn*
Uetendorf Steffisburg **134 Ballen-**
129 Thun **131** Brienz **140** berg
Oberhofen **136**
Thunersee *Justistal* Brienzer-
128 see Meiringen *2224*
Erlenbach Spiez Ringgenberg **140** *Sustenpass*
Iseltwald *Aare-* Innertkirchen
Wimmis **139** *schlucht*
Boltigen Därligen **Interlaken**
1509 **136** **Grindelwald**
Lauter- Wengen **135**
Frutigen brunnen ▲ *Eiger 3970* *Grimsel-*
Zweisimmen Kiental **138** **141** *pass*
Schwenden **133** Mürren **121 Jungfraujoch** *2165*
137 *Schilthorn* ▲ *4274*
Saanen *2970* *4158 Finster-*
142 **143** **Jungfrau** *aarhorn*
Gstaad **Adelboden** **132**
Kandersteg *Oeschinensee*
Lenk **130**
Lauenen
Gsteig
↗*1546*

ICAE

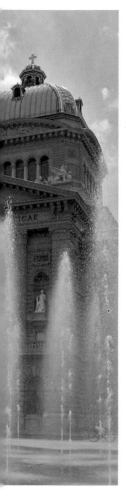

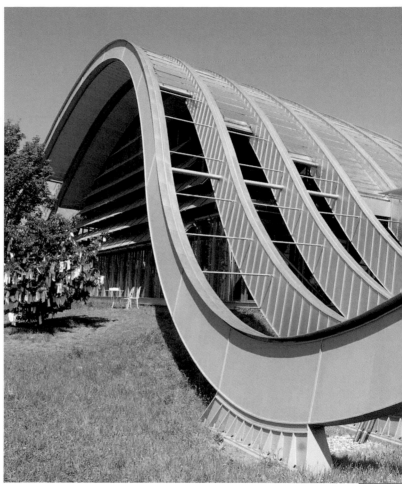

ZYTGLOGGE TOWER

SWISS WRESTLING FESTIVAL

Lake Oeschinen

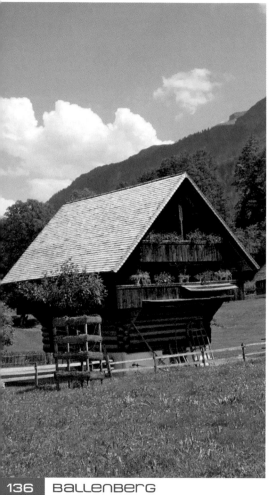

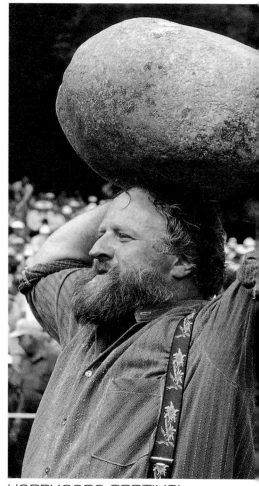

Ballenberg

Unspunnen Festival

JUNGFRAU RAILWAY

HOTEL

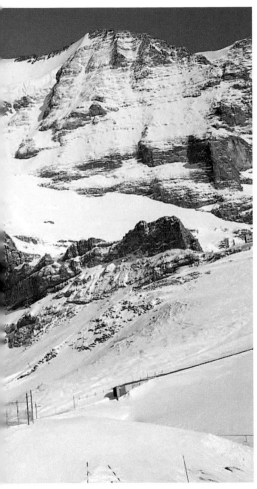

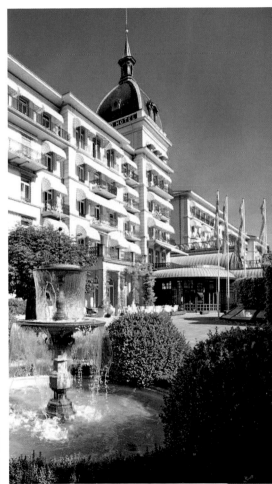

Aare Gorge   Handicrafts

142   GSTAAD

ALPINE ROSES

jura

Porrentruy
Lucelle
St-Ursanne **152**
Delémont
148 Corban
150
Courrendlin
149 Bassecourt
Moutier
Saignelégier
147 Tavannes
Court
Sonceboz
St-Imier
Le Doubs
La Chaux-de-Fonds
Le Locle
Val de Travers **153**
Couvet
Fleurier
Ste-Croix
Vallorbe
Lac de Joux **151**
Le Brassus

DELÉMONT

VD8444
8444VD

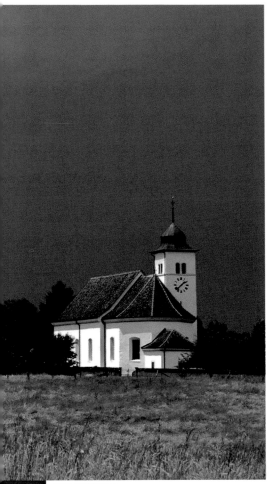

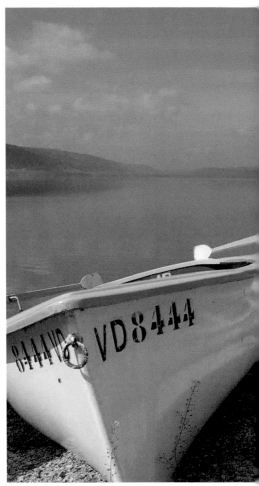

8443 VD

ST. Ursanne

VAL DE TRAVERS, VALLEY

BASEL - NORTHWESTERN SWITZERLAND

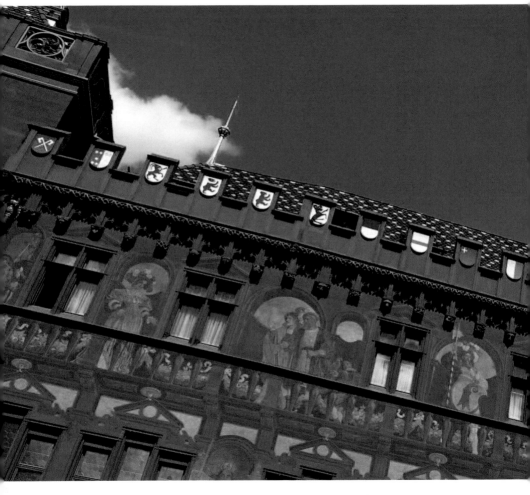

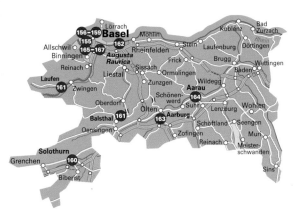

Lörrach
156–159 Basel
155
Allschwil ○ **162**
Binningen **165–167** Möhlin
Augusta Rheinfelden Stein Laufenburg Döttingen
Raurica Frick Brugg
Reinach ○ Sissach Ormalingen Baden Wettingen
Liestal Zunzgen Wildegg
Laufen Schönen- **Aarau**
161 Zwingen werd **164**
Oberdorf Suhr Wohlen
Olten Lenzburg
Balsthal 161 **Aarburg**
Oensingen **163** Schöftland Seengen
Zofingen Muri
Reinach ○ Meister-
Solothurn schwanden
Grenchen **160** Sins
Biberist

Koblenz Bad
Zurzach
Rhein

BASELWORLD

Jewelle

BASELWORLD

Quinto
MALTA

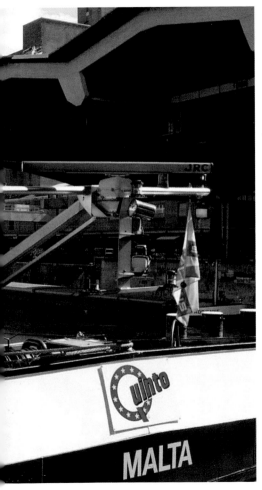

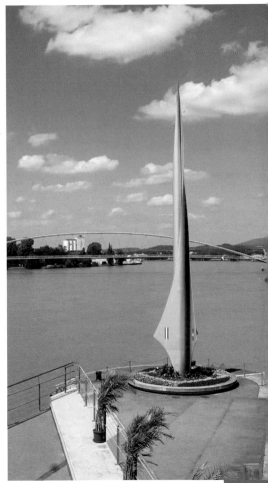

DEO EXERCITUUM IN
SS·MIL·URSO VIC RE ET SOC·REST·
S·P·Q·S·AN·MDCCLXIX

LAUFEN

BALSTHAL

J.FISCHER

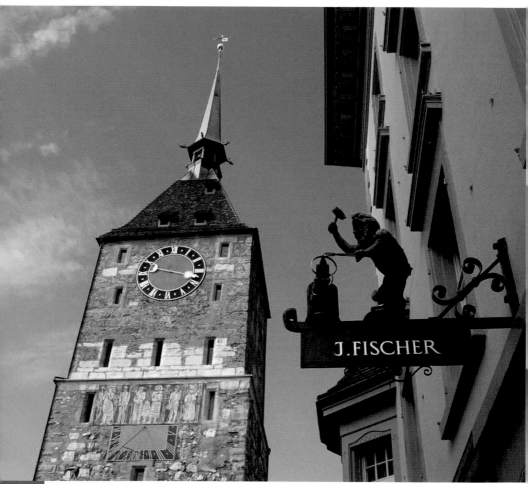

24 STUND PAUSE

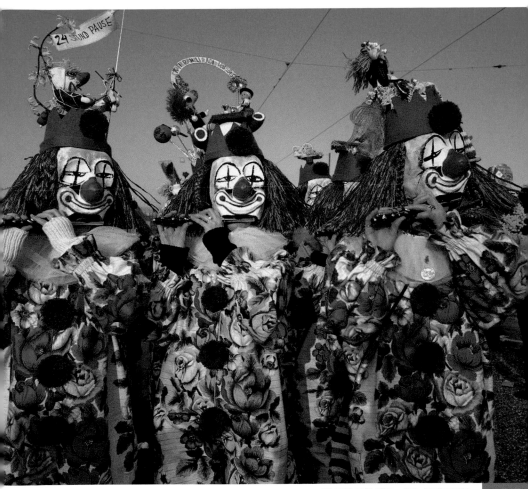

captions my switzerland

Lucerne - Central Switzerland
5 | Chapel Bridge and Water Tower, landmarks of Lucerne
6 | View from Bürgenstock
7 | Lake Lucerne with 'Uri' steamboat
8 | Pilatusbahn, the steepest cog railway in the world
9 | Fronalpstock, view of the Rigi
10 | Cheese-ageing in Kaltbach Cave, Lucerne Canton
11 | Flag throwing, a traditional Swiss custom
12 | Alpine idyll with brown cow
12 | The winding Klausen pass
13 | Schöllenen gorge and the legendary Devil's Bridge
14 | Kolinbrunnen and 'Zytturm', landmarks of Zug
14 | The Pulverturm in Zug
15 | Historic Stanserhorn railway
16 | Nicholas of Flüe, patron saint of Switzerland
17 | Obwalden - idyllic view of Lake Lungern

Zurich
19 | Zurich by night, view of Limmat river and old town
20 | Traditional Sechseläuten festival: burning of the 'Böögg'
21 | Paradeplatz, Zurich city centre
22 | Grossmünster church, a city landmark
23 | Nightlife in Niederdorf
24 | Promenade on Lake Zurich
25 | Hedingen: half-timbered house
26 | Zurich international airport
27 | Technorama Winterthur, interactive science park

Eastern Switzerland
29 | Panorama from the Säntis
30 | Rathausplatz, Stein am Rhein
31 | Munot fort, Schaffhausen
32 | Wildlife at the Rhine Falls
33 | Rhine Falls - roaring spectacle
34 | Gottlieben: beautiful bay windows
35 | Steckborn on Lake Untersee
36 | Diversity of Swiss cheeses
37 | Historic Römerhof hotel, Arbon
38 | 'Alpabzug', Appenzell
39 | House facades, Appenzell
40 | Pretty Appenzell costumes
41 | Lake Seealp, view from Säntis
42 | St. Gall collegiate church - fascinating architecture
43 | Rapperswil townscape

Graubünden
45 | Panoramic view, Bernina pass
47 | Railway viaduct and 'Glacier Express' near Filisur
48 | Ice hockey event in Davos
49 | Winter landscape near Davos
50 | 'Lichtsegel' in Arosa by star architect Mario Botta
51 | Panorama over Lake Sils
52 | The mystical Via Mala gorge
52 | Rock spa in Vals
53 | Top of the world - St. Moritz, world-famous resort
54 | Children's book character 'Schellenursli' in Zuoz
55 | Fairytale castle in Tarasp
55 | Painted wooden ceiling of St. Martin's church in Zillis
56 | Train travel on the Bernina
57 | Italian flair in Poschiavo
58 | Upper Rhine gorge near Flims
59 | San Bernardino summit
60 | Alpine flora, silver thistle

61 | Local gastronomy in Chur
62 | Bergell houses in Soglio
63 | Ibex, king of the Alps
64 | Traditional houses in Müstair
65 | Nature in the National Park

Ticino
67 | Gandria and San Salvatore
68 | Popular destination - cool waters of the Maggia river
69 | Gotthard stagecoach on the historic Tremola Road
70 | Ponte dei Salti, Lavertezzo
71 | Promenade walk in Ascona
72 | 1 August, Swiss national day at Lake Lugano
73 | View from San Salvatore
74 | Swissminiatur - model Switzerland in Melide
75 | The Melide dam
76 | Salami, a Ticino speciality
77 | Picturesque Morcote
78 | Ticino grotto - the perfect romantic hideaway
79 | Regional delicacies
80 | Corippo, a typical mountain village
81 | Polenta, a fine maize speciality
82 | The Brissago islands, paradise in Lake Maggiore
83 | Romantic Centovalli

Valais
85 | Aletsch glacier, the longest in the Alps
87 | Lake Stelli and the world-famous Matterhorn - Zermatt
88 | Europe's largest underground lake near St. Leonard
89 | Wooden chapel, Bietschhorn
90 | Grape harvest near Sion
91 | Valère church fortress in Sion

92	Bizarre rock pyramids near Euseigne in Val d'Hérens	
93	Fondue - cheese speciality	
94	Grande Dixence - highest dam in Switzerland	
94	Traditionally decorated Swiss cow	
95	Hotel and observatory on Gornergrat - Zermatt	
96	Alpine flora, gentian	
97	Car-free relaxation at Bettmeralp	
98	Lötschental wooden masks	
99	Fantastic winter views from Mittelallalin near Saas Fee	
100	Hotel Belvedere, Furka pass	
101	Steam railway nostalgia, Furka pass	
102	Typical settlement in Goms	
103	Imposing inner courtyard at Stockalper Palace in Brig	
104	Snowboarding action in Valais	
105	Eternal ice at Fee glacier above Saas Fee	

Western Switzerland

107	Jet d'eau fountain in Geneva with view of the city
108	UNO headquarters, Geneva
109	Ouchy lakeside promenade, Lausanne
110	Vineyards in Lavaux
111	Wine casks, Cave de Montreux
112	Jazz festival stronghold Montreux with Palace Hotel
113	The famous Castle of Chillon on the shores of Lake Geneva
114	Berntor in Murten old town
115	Swiss chocolate, the winning sweet export
116	Neuchâtel cathedral

117	Fribourg above the Saane
118	Gruyères attracts many tourists
119	Alpine horn blowers in wine-growers' costume

Berne - Bernese Oberland

121	Top of Europe - Jungfraujoch
122	Bundeshaus in Berne, the parliament building
123	Modern architecture, Paul Klee Centre, Berne
124	The 'Zytgloggeturm' in Berne
125	Recently redesigned Bahnhof-platz with 'baldachin'
126	Swiss wrestling, a national sport
127	Typical Emmental farmhouses in Eggiwil
128	Lake Thun with views of the pyramid-shaped Niesen
129	The majestic castle of Thun
130	The Doldenhorn, imposing mountains above Kandersteg
131	Cheese sharing in the Justistal
131	Onion market in Berne
132	Fantastic mountain backdrop at Lake Oeschinen
133	Railway viaduct near Frutigen
134	Steam train nostalgia on the Brienzer Rothorn
135	Upper Grindelwald glacier
136	Open-air museum, Ballenberg
136	Stone throwing, Unspunnen
137	James Bond 007 film location, Piz Gloria, Schilthorn-Mürren
138	Jungfrau railway with Eiger
139	Viktoria-Jungfrau Grand Hotel, Interlaken
140	Imposing Aare gorge
140	Brienz carvings
141	Eiger, Mönch, Jungfrau, trium-virate of the Bernese Oberland

142	Hotel Palace in Gstaad
142	Alpine flora: Alpine roses
143	Traditional sledge racing
144	Biel old town and Guild House
145	Ligerz church and island of St. Peter on Lake Biel

Jura

147	Freiberg horses in meadow
148	Sauvage fountain, Delémont
149	Typical Jura landscape
150	Worship before the storm at Corban church near Delémont
151	Idyllic excursion, Lac de Joux
152	Historic St. Ursanne
153	Reflection - Val de Travers
153	Where town and country meet

Basel - Northwestern Switzerland

155	Basel town hall
156	Baselworld, premier watch and jewellery exhibition
157	Paradise for watch lovers
158	Loading cargo in Rhine port
159	Germany, France and Switzer-land meet at the border triangle, port of Basel
160	Solothurn Cathedral
161	Obertor clock tower, Laufen
161	Neu-Falkenstein ruin near Balsthal
162	Augusta Raurica Roman city
163	Picturesque Aarburg
164	Landmarks of mediaeval Aarau and Oberturm
165	Living art by Jean Tinguely in Basel
166	'Swiss Indoors' tennis event
167	Switzerland's most traditional carnival, Basel

LEGENDEN MY SWITZERLAND

Luzern - Zentralschweiz

5 Kapellbrücke und Wasserturm, Wahrzeichen von Luzern
6 Blick vom Bürgenstock
7 Vierwaldstättersee mit ehrwürdigem Dampfschiff „Uri"
8 Pilatusbahn, die steilste Zahnradbahn der Welt
9 Fronalpstock, Blick zum Rigi
10 Käselager in Sandsteinhöhle Kaltbach im Kanton Luzern
11 Fahnenschwingen, altes Schweizer Brauchtum
12 Braunkuh in Alpenidylle
12 Kurvenreicher Klausenpass
13 Schöllenenschlucht mit legendärer Teufelsbrücke
14 Kolinbrunnen und „Zytturm", das Wahrzeichen von Zug
14 Pulverturm in Zug
15 Historische Stanserhornbahn
16 Niklaus von Flüe, Schutzpatron der Schweiz
17 Idyllischer Blick auf den Lungerersee in Obwalden

Zürich

19 Zürich bei Nacht, Blick auf Limmat und Altstadt
20 Traditionelles Sechseläuten mit Böögg - Verbrennung
21 Paradeplatz, Zürichs Zentrum
22 Grossmünster, das Wahrzeichen der Stadt
23 Nightlife im Niederdorf
24 Uferpromenade am Zürichsee
25 Stattliches Riegelhaus in Hedingen
26 Tor zur Welt, Airport Zürich
27 Technorama Winterthur, der Erlebnispark für Technik

Ostschweiz

29 Panorama vom Säntis
30 Rathausplatz Stein am Rhein
31 Munot in Schaffhausen
32 Tiererlebnis am Rheinfall
33 Tosendes Spektakel Rheinfall
34 Kunstvolle Erker in Gottlieben
35 Steckborn am Untersee
36 Vielfalt des Schweizer Käses
37 Historischer Römerhof, Arbon
38 Alpabzug im Appenzellerland
39 Hausfassaden in Appenzell
40 Schmucke Appenzellertracht
41 Seealpsee, Blick vom Säntis
42 Faszination Kirchenarchitektur, Stiftskirche St. Gallen
43 Stadtansicht Rapperswil

Graubünden

45 Panoramablick, Berninapass
47 Bahnviadukt mit „Glacier Express" bei Filisur
48 Das Eishockeyevent in Davos
49 Schneetraum bei Davos
50 „Lichtsegel" in Arosa, von Stararchitekt Mario Botta
51 Fernblick über den Silsersee
52 Mystische Via Mala Schlucht
52 Felsentherme in Vals
53 Top of the World - St. Moritz, weltbekannter Ferienort
54 Die Kinderbuchfigur „Schellenursli" in Zuoz
55 Märchenschloss in Tarasp
55 Sehenswerte Holzdecke in der Kirche St. Martin in Zillis
56 Bahnerlebnis an der Bernina
57 Italienisches Flair in Poschiavo
58 Vorderrheinschlucht bei Flims
59 Passhöhe San Bernardino
60 Alpenflora, die Silberdistel

61 Bündner Gastronomie in Chur
62 Bergeller Häuser in Soglio
63 Steinbock, König der Alpen
64 Typische Häuser in Müstair
65 Naturerlebnis Nationalpark

Tessin

67 Gandria mit San Salvatore
68 Beliebtes Ausflugsziel, die kühlen Wasser der Maggia
69 Gotthard Postkutsche auf der historischen Tremola - Strasse
70 Ponte dei Salti bei Lavertezzo
71 Flanierpromenade in Ascona
72 1. August, Schweizer Nationalfeiertag am Luganer See
73 Aussicht vom San Salvatore
74 Swissminiatur, das Abbild der Schweiz in Melide
75 Der Damm von Melide
76 Salami, Tessiner Spezialität
77 Malerisches Morcote
78 Tessiner Grotto zum romantischen Verweilen
79 Regionale Gaumenfreuden
80 Corippo, typisches Bergdorf
81 Polenta, feine Maisspezialität
82 Brissago - Inseln, ein Paradies mitten im Lago Maggiore
83 Das romantische Centovalli

Wallis

85 Grosser Aletschgletscher, längster Gletscher der Alpen
87 Stellisee mit weltbekanntem Matterhorn oberhalb Zermatt
88 Europas grösster unterirdischer See bei St. Leonard
89 Holzkapelle und Bietschhorn
90 Walliser Weinlese bei Sion
91 Kirchenburg Valère in Sion

92 | Bizarre Pyramiden bei Euseigne im Val d'Hérens
93 | Fondue, die Käsespezialität
94 | Höchste Staumauer der Schweiz, Grande Dixence
94 | Geschmückte Kuh nach Schweizer Brauchtum
95 | Berghotel und Sternwarte auf dem Gornergrat - Zermatt
96 | Alpenflora, Enzian
97 | Autofreie Erholung auf der Bettmeralp
98 | Lötschentaler Holzmasken
99 | Traumhafter Winterausblick von Mittelallalin bei Saas Fee
100 | Hotel Belvedere am Furkapass
101 | Nostalgische Dampfeisenbahn beim Furkapass
102 | Typische Siedlung im Goms
103 | Monumentaler Innenhof im Stockalperpalast in Brig
104 | Snowboardaction im Wallis
105 | Ewiges Eis am Feegletscher oberhalb Saas Fee

Westschweiz
107 | Jet d'eau, Fontäne von Genf mit Stadtkulisse
108 | Sitz der UNO in Genf
109 | An der Seepromenade von Ouchy in Lausanne
110 | Weinberge in der Lavaux
111 | Weinfässer, Cave de Montreux
112 | Jazzfestival - Hochburg Montreux mit Palace Hotel
113 | Das berühmte Château Chillon an den Staden vom Genfersee
114 | Berntor in der Altstadt Murten
115 | Schweizer Schokolade, der süsse Exportschlager
116 | Kathedrale von Neuenburg

117 | Freiburg hoch über der Saane
118 | Touristische Attraktion Greyerz
119 | Alphornbläser in Winzertracht

Bern - Berner Oberland
121 | Top of Europe - Jungfraujoch
122 | Bundeshaus in Bern, das Parlamentsgebäude
123 | Moderne Architektur, Zentrum Paul Klee in Bern
124 | Der "Zytgloggeturm" in Bern
125 | Modern gestalteter Bahnhofplatz mit "Baldachin"
126 | Schwingen, urchige Sportart
127 | Typische Emmentaler Bauernhäuser in Eggiwil
128 | Thunersee mit Blick auf die schöne Pyramide des Niesen
129 | Majestätisches Schloss Thun
130 | Das Doldenhorn, imposante Bergwelt oberhalb Kandersteg
131 | Käseteilet im Justistal
131 | Zwiebelmarkt in Bern
132 | Traumhafte Bergkulisse am Oeschinensee
133 | Bahnviadukt bei Frutigen
134 | Nostalgie - Dampfbahn auf das Brienzer Rothorn
135 | Oberer Grindelwaldgletscher
136 | Freilichtmuseum Ballenberg
136 | Steinstösser, Unspunnenfest
137 | James Bond 007 Drehort, Piz Gloria, Schilthorn - Mürren
138 | Jungfraubahn mit Eiger
139 | Viktoria - Jungfrau Grand Hotel in Interlaken
140 | Imposante Aareschlucht
140 | Brienzer Schnitzereien
141 | Eiger, Mönch und Jungfrau, Dreigestirn im Berner Oberland
142 | Hotel Palace in Gstaad

142 | Alpenflora, Alpenrosen
143 | Traditionelles Schlittelrennen
144 | Bieler Altstadt mit Zunfthaus zum Wald
145 | Kirche von Ligerz mit St. Petersinsel im Bielersee

Jura
147 | Freibergerpferde auf Juraweide
148 | Sauvagebrunnen in Delsberg
149 | Typische Juralandschaft
150 | Andacht vor dem Sturm, Kirche Corban bei Delsberg
151 | Ausflugsidylle am Lac de Joux
152 | Historisches St. Ursanne
153 | Spiegelspiel - Val de Travers
153 | Stadt und Land beieinander

Basel - Nordwestschweiz
155 | Rathaus in Basel
156 | Baselworld, Weltmesse für Uhren und Schmuck
157 | Paradies für Uhrenliebhaber
158 | Frachtverladen im Rheinhafen
159 | Deutschland, Frankreich und die Schweiz treffen sich im Dreiländereck im Basler Hafen
160 | Bistumskathedrale, Solothurn
161 | Obertor mit Zeitturm in Laufen
161 | Ruine Neu Falkenstein, in der Nähe von Balsthal
162 | Römerstadt "Augusta Raurica"
163 | Idyllisches Aarburg
164 | Zeugen des mittelalterlichen Aarau mit Oberturm
165 | Lebende Kunst von Jean Tinguely in Basel
166 | Swiss Indoors, das Tennisevent
167 | Traditionsreichste Fasnacht der Schweiz in Basel

LÉGENDES MY SWITZERLAND

Lucerne - Suisse centrale
5 Pont de la Chapelle et Tour de l'eau, symboles de Lucerne
6 Vue du Bürgenstock
7 Lac des Quatre-Cantons et bateau à vapeur « Uri »
8 Train à crémaillère du Mont Pilate, le plus raide du monde
9 Fronalpstock, vue sur le Rigi
10 Fromage affiné en grotte de Kaltbach, canton de Lucerne
11 Le lancer du drapeau, ancienne coutume suisse
12 Vache brune des Alpes
12 Col serpenté du Klausen
13 Les gorges du Schöllenen et le légendaire Pont du diable
14 Fontaine de Kolin et Tour de l'Horloge, symboles de Zoug
14 Tour de la poudre, Zoug
15 Le funiculaire du Stanserhorn
16 Nicolas de Flüe, le saint patron de la Suisse
17 Vue idyllique sur le Lungerersee à Obwald

Zurich
19 Zurich la nuit, vue sur la Limmat et la vieille ville
20 Fête du Sechseläuten et embrasement du Böög
21 Paradeplatz, centre de Zurich
22 La cathédrale Grossmünster, emblème de la cité
23 Vie nocturne au Niederdorf
24 Balade sur le lac de Zurich
25 Maison traditionnelle à Hedingen
26 L'aéroport de Zurich
27 Découvrir les sciences au Technorama de Winterthour

Suisse orientale
29 Panorama au Säntis
30 Rathausplatz, Stein am Rhein
31 Le fort de Munot , Schaffhouse
32 Vie sauvage aux chutes du Rhin
33 Vue sur les chutes du Rhin
34 Magnifiques oriels à Gottlieben
35 Steckborn sur les rives de l'Untersee
36 Diversité du fromage suisse
37 Bâtisse historique du Römerhof, Arbon
38 Désalpe en Appenzell
39 Façades décorées en Appenzell
40 Costume folklorique d'Appenzell
41 Seealpsee, vue du Säntis
42 La collégiale de St-Gall et son architecture exceptionnelle
43 Vue de Rapperswil

Grisons
45 Panorama du col de la Bernina
47 Le « Glacier Express » sur le viaduc près de Filisur
48 Hockey sur glace à Davos
49 Paysage hivernal à Davos
50 « Voiles de lumière » à Arosa, par l'architecte Mario Botta
51 Vue sur le lac de Sils
52 Les gorges de la Via Mala
52 Thermes dans la roche à Vals
53 Top of the World - St-Moritz, célèbre dans le monde entier
54 « Schellenursli », personnage d'un livre pour enfants à Zuoz
55 Château de conte de fées à Tarasp
55 Le plafond peint de l'église St-Martin à Zillis
56 Balade en train à la Bernina
57 Charme italien à Poschiavo
58 Flims, Gorges du Rhin antérieur

59 Le col du San Bernardino
60 Flore alpine, chardon argenté
61 Gastronomie locale à Coire
62 Maisons de Soglio dans le Bergell
63 Le bouquetin, roi des Alpes
64 Maisons traditionnelles à Müstair
65 Nature dans le Parc National

Tessin
67 Gandria et le San Salvatore
68 But d'excursion apprécié: les eaux fraîches de la Maggia
69 Diligence du Gothard sur l'ancienne route de Tremola
70 Le pont dei Salti à Lavertezzo
71 Flânerie à Ascona
72 1er août, fête nationale suisse sur le lac de Lugano
73 Vue du San Salvatore
74 Swissminiatur à Melide, la Suisse à échelle réduite
75 Le barrage de Melide
76 Le salami, spécialité tessinoise
77 Village pittoresque de Morcote
78 Grotto tessinois pour une pause romantique
79 Dégustation régionale
80 Corippo, village de montagne typique
81 La polenta, délicieuse spécialité à base de maïs
82 Les îles de Brissago, un paradis sur le lac Majeur
83 Vallée romantique des Centovalli

Valais
85 Le glacier d'Aletsch, le plus long des Alpes
87 Le lac Stellisee et le mont Cervin, au-dessus de Zermatt
88 Le plus grand lac souterrain

d'Europe près de St-Léonard
89 Chapelle et Bietschhorn
90 Vendanges en Valais à Sion
91 L'église-forteresse de Valère à Sion
92 Etranges pyramides à Euseigne dans le Val d'Hérens
93 La fondue, spécialité fromagère
94 La Grande Dixence, le plus haut barrage de Suisse
94 Vache parée selon la coutume suisse
95 Hôtel et observatoire au Gornergrat - Zermatt
96 Flore alpine, gentiane
97 Détente sans voiture à Bettmeralp
98 Masques traditionnels du Lötschental
99 Paysage hivernal au Mitelallalin à Saas Fee
100 Hôtel Belvédère au col de la Furka
101 Chemin de fer à vapeur au col de la Furka
102 Habitat typique à Goms
103 La cour intérieure du château Stockalper à Brigue
104 Joie du snowboard en Valais
105 Glaces éternelles du Feegletscher, au-dessus de Saas Fee

Suisse occidentale
107 Jet d'eau, Genève
108 Siège de l'ONU à Genève
109 Balade à Ouchy-Lausanne au bord du Léman
110 Vignes en terrasses du Lavaux
111 Tonneaux de vin, cave de Montreux
112 Palace Hotel à Montreux, capitale du Festival de jazz
113 Le célèbre château de Chillon sur les rives du lac Léman
114 La porte de Berne dans la vieille ville de Morat

115 Le chocolat suisse, délicieux produit d'exportation
116 La cathédrale de Neuchâtel
117 Fribourg au bord de la Sarine
118 Gruyères, attraction touristique
119 Joueurs de cor des Alpes en costume de vigneron

Berne - Oberland bernois
121 Top of Europe - Jungfraujoch
122 Le Palais fédéral à Berne et le Parlement
123 Architecture moderne au Centre Paul Klee à Berne
124 Tour de la Zytglogge à Berne
125 La place de la gare à Berne et son « baldaquin »
126 La lutte suisse, sport national
127 Fermes typiques de l'Emmental
128 Le lac de Thoune et la pyramide du Niesen
129 Le château de Thoune
130 Le Doldenhorn: un sommet imposant au-dessus de Kandersteg
131 Fête du Käseteilet au Justital
131 Marché aux oignons à Berne
132 Décor de rêve du lac d'Oeschinen
133 Viaduc près de Frutigen
134 Train à vapeur au Brienzer Rothorn
135 Glacier supérieur de Grindelwald
136 Le musée en plein air de Ballenberg
136 Lancer de la pierre d'Unspunnen
137 Lieu de tournage de James Bond 007, Piz Gloria, Schilthorn-Mürren
138 Le chemin de fer de la Jungfrau
139 Grand Hôtel Viktoria-Jungfrau à Interlaken
140 Les gorges vertigineuses de l'Aar
140 Sculptures de Brienz
141 Eiger, Mönch et Jungfrau, les

trois cimes de l'Oberland bernois
142 Hôtel Palace à Gstaad
142 Flore alpine, rhododendrons
143 Course traditionnelle de luge
144 Bienne, vieille ville et maison de corporation Zum Wald
145 Eglise de Ligerz avec l'île St-Pierre sur le lac de Bienne

Jura
147 Chevaux des Franches-Montagnes dans les pâturages du Jura
148 Fontaine du Sauvage à Delémont
149 Paysage typique du Jura
150 Eglise de Corban près de Delémont
151 Excursion au lac de Joux
152 Le village de St-Ursanne
153 Jeux de miroirs, Val de Travers
153 Ville et campagne se côtoient

Bâle - Suisse nord-occidentale
155 L'hôtel de ville de Bâle
156 Baselworld, salon mondial de l'horlogerie et de la bijouterie
157 Paradis pour les amateurs de montres
158 Chargement au port du Rhin
159 L'Allemagne, la France et la Suisse au Pays des Trois Frontières, port de Bâle
160 L'Evêché de Soleure
161 Porte supérieure et Tour de l'Horloge, Laufon
161 Ruines de Neu Falkenstein
162 La cité romaine d'Augusta Raurica
163 Pittoresque Aarburg
164 L'Oberturm, témoin du Moyen Age à Aarau
165 Art vivant de Jean Tinguely à Bâle
166 L'événement de tennis Swiss Indoors
167 Le carnaval de Bâle

Lucerna - Svizzera centrale
5 Ponte della Cappella e Torre dell'acqua, simboli di Lucerna
6 Veduta dal Bürgenstock
7 Lago dei Quattro Cantoni con il battello a vapore "Uri"
8 Cremagliera del Pilatus, la più ripida del mondo
9 Fronalpstock, veduta del Rigi
10 Grotte a Kaltbach, dove viene conservato il formaggio
11 Lancio delle bandiere, antica tradizione svizzera
12 Mucca bruna sulle Alpi
12 Le serpentine del Klausenpass
13 Gola dello Schöllenen con il Ponte del Diavolo
14 Fontana di Kolin e Torre dell'orologio, i simboli di Zugo
14 La Polveriera a Zugo
15 Ferrovia funicolare dello Stanserhorn
16 S. Nicolao della Flüe, patrono della Svizzera
17 Veduta del Lago di Lungern, nel Canton Obvaldo

Zurigo
19 Zurigo di notte: Limmat e centro storico
20 "Sechseläuten", tradizionale festa dove si brucia il Böögg
21 Paradeplatz, centro di Zurigo
22 Chiesa di Grossmünster, il simbolo della città
23 Vita notturna a Niederdorf
24 Passeggiata sul lago di Zurigo
25 Casa a graticcio di Hedingen
26 Porta sul mondo: l'aeroporto di Zurigo
27 Technorama Winterthur, parco per scoprire la tecnologia

Svizzera orientale
29 Panorama dal Monte Säntis
30 Rathausplatz, Stein am Rhein
31 Fortezza di Munot a Sciaffusa
32 Fauna ittica alle cascate del Reno
33 Spettacolari cascate del Reno
34 Bow window a Gottlieben
35 Steckborn sulle rive dell'Untersee
36 Varietà di formaggio svizzero
37 Lo storico Römerhof, Arbon
38 Festa tipica, Appenzello
39 Facciate dipinte, Appenzello
40 Costumi di Appenzello
41 Seealpsee, veduta dal Säntis
42 Architettura ecclesiastica: Stiftskirche a San Gallo
43 Rapperswil, veduta della città

Grigioni
45 Panorama del Passo del Bernina
47 Viadotto ferroviario a Filisur con il treno "Glacier Express"
48 Hockey su ghiaccio a Davos
49 Incanto sulla neve a Davos
50 Le "vele di luce" dell'architetto Mario Botta ad Arosa
51 Veduta del lago di Sils
52 La gola della Via Mala
52 Terme nella roccia a Vals
53 Top of the World - St. Moritz, famosa in tutto il mondo
54 "Schellenursli", personaggio di un libro per bambini a Zuoz
55 Castello da favola a Tarasp
55 Soffitto ligneo della chiesa di St. Martin a Zillis
56 Alla scoperta del Bernina
57 Fascino italiano a Poschiavo
58 Flims, gola del Reno Anteriore
59 Passo del San Bernardino
60 Flora alpina: carlina acaulis

61 Gastronomia locale a Coira
62 Case a Soglio, Val Bregaglia
63 Lo stambecco, re delle Alpi
64 Case tipiche a Müstair
65 Nel parco nazionale

Ticino
67 Gandria e Monte San Salvatore
68 Le acque del Maggia: una meta molto apprezzata
69 Storica carrozza postale del Gottardo sulla Via Tremola
70 Ponte dei Salti a Lavertezzo
71 Passeggiata ad Ascona
72 1° agosto, festa nazionale svizzera sul Lago di Lugano
73 Veduta dal San Salvatore
74 "Swissminiatur", la Svizzera in miniatura, Melide
75 La diga di Melide
76 Salumi: specialità ticinese
77 Incantevole Morcote
78 Grotto ticinese
79 Specialità regionali
80 Il tipico paesino di Corippo
81 Polenta, specialità di mais
82 Isole di Brissago: un paradiso in mezzo al Lago Maggiore
83 La romantica Centovalli

Vallese
85 Il ghiacciaio dell'Aletsch
87 Il lago Stellisee con il Cervino sopra Zermatt
88 Il più grande lago sotterraneo d'Europa presso St. Leonard
89 Cappella e Bietschhorn
90 Vendemmia vallese a Sion
91 Basilica di Valère a Sion
92 Piramidi bizzarre nei pressi di Euseigne, Val d'Hérens

93	La fondue, specialità di formaggio
94	Diga della Grande Dixence, la più alta della Svizzera
94	Mucca addobbata, secondo la tradizione svizzera
95	Hotel e osservatorio sul Gornergrat - Zermatt
96	Flora alpina: genziana
97	Relax senza automobili a Bettmeralp
98	Lötschental: maschere di legno
99	Panorama invernale dal Mittel-allalin, presso Saas Fee
100	Passo Furka, Hotel Belvedere
101	Treno a vapore presso il Passo della Furka
102	Case nel distretto di Goms
103	Cortile interno del castello di Stockalper, a Briga
104	Snowboard nel Vallese
105	Il Feegletscher, sopra a Saas Fee

Svizzera occidentale

107	Jet d'eau - fontana di Ginevra con la città sullo sfondo
108	La sede dell'ONU a Ginevra
109	Passeggiata sul lungolago, Ouchy, Losanna
110	Vigneti nel distretto di Lavaux
111	Botti di vino, Cave de Montreux
112	Capitale del festival jazz: Montreux e il Palace Hotel
113	Il famoso castello di Chillon, sul lago di Ginevra
114	Berntor, centro storico di Murten
115	Il cioccolato svizzero, dolce prodotto d'esportazione
116	Cattedrale di Neuchâtel
117	Friburgo sul fiume Sarine
118	Il distretto della Gruyères
119	Suonatori di corno alpino

Berna - Oberland bernese

121	Jungfraujoch, top of Europe
122	Palazzo federale di Berna, la sede del parlamento
123	Architettura moderna: il Zentrum Paul Klee di Berna
124	La Torre dell'orologio a Berna
125	La moderna piazza della stazione con la volta in vetro a Berna
126	Wrestling svizzero
127	Fattorie dell'Emmental a Eggiwil
128	Lago di Thun e la piramide del Niesen
129	Castello di Thun
130	Doldenhorn: imponente spettacolo sopra Kandersteg
131	Festa del "Käseteilet", Justistal
131	Mercato delle cipolle a Berna
132	Scenario montano sul Lago di Oeschinen
133	Viadotto ferroviario a Frutigen
134	Treno a vapore sul Brienzer Rothorn
135	Ghiacciaio di Grindelwald
136	Museo all'aperto di Ballenberg
136	Unspunnen: lancio della pietra
137	Set di James Bond 007: Piz Gloria, Schilthorn-Mürren
138	Ferrovia della Jungfrau
139	Grand Hotel Viktoria-Jungfrau a Interlaken
140	Imponente gola dell'Aare
140	Decorazioni a intaglio di Brienz
141	Eiger, Mönch, Jungfrau, le tre cime dell'Oberland bernese
142	Hotel Palace a Gstaad
142	Flora alpina: rododendri
143	Tradizionale corsa con le slitte
144	Biel: centro storico e Palazzo delle corporazioni

145	Chiesa di Ligerz e isola di St. Peter nel Lago di Biel

Giura

147	Cavalli di montagna nel Giura
148	Fontana del Selvaggio a Délemont
149	Paesaggio del Giura
150	La chiesa di Corban presso Délemont
151	Gita sul Lago di Joux
152	Cittadina storica: St. Ursanne
153	Gioco di specchi, Val de Travers
153	Città e campagna insieme

Basilea - Svizzera nord-occidentale

155	Municipio di Basilea
156	Baselworld, il Salone mondiale dell'orologeria e della gioielleria
157	Paradiso per amanti di orologi
158	Operazioni di carico sul Reno
159	Germania, Francia e Svizzera si incontrano nel crocevia del porto di Basilea
160	Soletta, cattedrale di Sant'Urso
161	Laufen, porta turrita con orologio
161	Rovine di Neu Falkenstein, nei pressi di Balsthal
162	I resti di "Augusta Raurica"
163	Incantevole Aarburg
164	Passato medievale: Aarau con la Torre dell'orologio
165	L'arte viva di Jean Tinguely a Basilea
166	Swiss Indoors, il grande evento di tennis
167	Il carnevale a Basilea

BIJSCHRIFTEN MY SWITZERLAND

Luzern - Centraal Zwitserland

5 Kapelbrug en watertoren, symbool van Luzern
6 Blik van de Bürgenstock
7 Vierwoudstrekenmeer met stoomschip "Uri"
8 Pilatusbaan, steilste tandradbaan ter wereld
9 Fronalpstock, blik op de Rigi
10 Kaasopslagplaats in grot in Kaltbach, kanton Luzern
11 Vendelzwaaien, oude Zwitserse traditie
12 Bruine koe in idyllische Alpen
12 Bochtige Klausen-pas
13 Schöllenen-ravijn met legendarische Duivelsbrug
14 Kolin-fonteinen en "Zytturm", symbolen van Zug
14 Pulverturm in Zug
15 Historische Stanserhorn-baan
16 Niklaus von Flüe, Zwitserse beschermheilige
17 Obwalden: idyllische blik op het Lungerermeer

Zürich

19 Zürich 's nachts, Limmat-rivier en stadscentrum
20 Traditioneel feest Sechseläuten: Böögg-verbranding
21 Paradeplatz, centrum van Zürich
22 Grossmünster, stadssymbool
23 Nightlife in Niederdorf
24 Boulevard langs Zürichsee
25 Hedingen: vakwerkhuis
26 Zürich international airport
27 Technorama Winterthur, interactief wetenschapspark

Oost-Zwitserland

29 Panorama vanaf de Säntis
30 Raadhuisplein, Stein am Rhein
31 Fort Munot in Schaffhausen
32 Dierenwereld aan de Rijn
33 Watervallen van de Rijn
34 Gottlieben: mooie erkers
35 Steckborn aan de Untersee
36 Zwitserse kaasrijkdom
37 Historische Römerhof, Arbon
38 Vee, Appenzell
39 Gevels, Appenzell
40 Mooie klederdracht in Appenzell
41 Seealpsee, blik van de Säntis
42 St. Gallen Stiftskirche: fascinerende kerkarchitectuur
43 Stadszicht Rapperswil

Graubünden

45 Panorama Bernina-pas
47 Spoorviaduct met "Glacier Express", bij Filisur
48 IJshockey-evenement, Davos
49 Sneeuwdroom, Davos
50 "Lichtzeil" in Arosa, van architect Mario Botta
51 Blik op Silsersee
52 Mystieke Via Mala-ravijn
52 Rotsthermen in Vals
53 St. Moritz, beroemd vakantie-oord
54 "Schellenursli", uit het kinderboek Zuoz
55 Sprookjesslot, Tarasp
55 Speciaal houten plafond, St. Martin in Zillis
56 Spoorwegfestijn aan de Bernina
57 Italiaanse sfeer, Poschiavo
58 Vorderrhein-ravijn bij Flims
59 San Bernardino-pas
60 Alpenflora: zilverdistel
61 Lokale gastronomie in Chur
62 Bergeller huizen, Soglio
63 Steenbok, Alpenkoning
64 Typische huizen, Müstair
65 Natuurbelevenis Nationalpark

Ticino

67 Gandria met San Salvatore
68 Populaire bestemming: het koele water van de Maggia
69 Gotthard-postkoets op de oude Tremola-weg
70 Ponte dei Salti bij Lavertezzo
71 Boulevard, Ascona
72 1 augustus: Zwitserse nationale feestdag aan meer van Lugano
73 Uitzicht van de San Salvatore
74 Swissminiatur: Zwitserland in het klein in Melide
75 Melide-dam
76 Salami, specialiteit van Ticino
77 Schilderachtig Morcote
78 Romantische grotto, Ticino
79 Regionale lekkernijen
80 Corippo, typisch bergdorp
81 Polenta, lekkere maïsspecialiteit
82 Brissago-eilanden, paradijs middenin Lago Maggiore
83 Romantisch Centovalli

Wallis

85 Grote Aletsch-gletsjer, langste Alpengletsjer
87 Stellisee met wereldberoemde Matterhorn boven Zermatt
88 Europa's grootste onderaardse meer bij St. Leonard
89 Houten kapel, Bietschhorn
90 Wijnoogst bij Sion
91 Kerkburcht Valère, Sion
92 Bizarre piramides bij Euseigne, Val d'Hérens

93 | Fondue, kaasspecialiteit
94 | Grande Dixence: hoogste stuwdam in Zwitserland
94 | Traditioneel versierde Zwitserse koe
95 | Berghotel en sterrenwacht op de Gornergrat , Zermatt
96 | Alpenflora: gentiaan
97 | Autovrije ontspanning op de Bettmeralp
98 | Houten maskers in het Lötschental
99 | Mooi winteruitzicht vanaf Mittelallalin bij Saas Fee
100 | Hotel Belvedere, Furka-pas
101 | Nostalgische stoomspoorweg bij de Furka-pas
102 | Typische nederzetting, Goms
103 | Imposante binnenplaats in het Stockalperpaleis in Brig
104 | Snowboardactie in Wallis
105 | Feuwig ijs van de Fee-gletsjer boven Saas Fee

West-Zwitserland
107 | Jet d'eau, symbool van Genève met stadszicht
108 | Zetel van de UNO in Genève
109 | Op de boulevard van Ouchy in Lausanne
110 | Wijngaarden in Lavaux
111 | Wijnvaten, Cave de Montreux
112 | Jazzfestival-Hochburg Montreux met Palace Hotel
113 | Het beroemde Château Chillon aan de oevers van het Meer van Genève
114 | Berntor in het centrum van Murten
115 | Zwitserse chocolade: zoet exportsucces
116 | Kathedraal van Neuchâtel
117 | Fribourg hoog boven de Saane
118 | Gruyères trekt veel toeristen aan

119 | Alpenhoornblazers in wijn-boerenkostuum

Bern - Berner Oberland
121 | Top of Europe: Jungfraujoch
122 | Het Bundeshaus in Bern, het parlementsgebouw
123 | Moderne architectuur, Centrum Paul Klee in Bern
124 | De "Zytgloggetoren" in Bern
125 | Recent heringerichte Bahnhof-platz met "baldakijn"
126 | Zwitsers worstelen, een nationale sport
127 | Typische Emmentaler boeren-huizen in Eggiwil
128 | Thunersee met uitzicht op de mooie piramide van de Niesen
129 | Majestueus slot Thun
130 | De Doldenhorn: imposante bergwereld boven Kandersteg
131 | "Käseteilet" in het Justisdal
131 | Uienmarkt in Bern
132 | Schitterend bergtafereel aan de Oeschinensee
133 | Spoorviaduct bij Frutigen
134 | Nostalgische stoomspoorweg op de Brienzer Rothorn
135 | Bovenste Grindelwald-gletsjer
136 | Openluchtmuseum Ballenberg
136 | Steenstoter: Unspunnenfest
137 | Filmlocatie van James Bond 007: Piz Gloria, Schilthorn-Mürren
138 | Jungfrau-spoorweg met Eiger
139 | Viktoria-Jungfrau Grand Hotel in Interlaken
140 | Imposante Aare-ravijn
140 | Houtsnijwerk in Brienz
141 | Eiger, Mönch, Jungfrau: triumvi-raat in het Berner hoogland
142 | Hotel Palace in Gstaad

142 | Alpenflora: alpenrozen
143 | Traditionele sleewedstrijd
144 | Oud stadscentrum van Biel met gildehuis
145 | Kerk van Ligerz met St. Peters-eiland in de Bielersee

Jura
147 | Freiberger paarden in wei
148 | Sauvage-fontein in Delémont
149 | Typisch Jura-landschap
150 | Steilte voor de storm: kerk Corban bij Delémont
151 | Idylle aan het Lac de Joux
152 | Historisch St. Ursanne
153 | Spiegelspel - Val de Travers
153 | Stad en land dicht bij elkaar

Basel - Noordwest-Zwitserland
155 | Raadhuis in Basel
156 | Baselworld, wereldbeurs voor horloges en sieraden
157 | Paradijs voor horlogeliefhebbers
158 | Laden van vracht in de Rijnhaven
159 | Duitsland, Frankrijk en Zwitser-land op het drielandenpunt in de haven van Basel
160 | Kathedraal Solothurn
161 | Obertor met tijdtoren in Laufen
161 | Ruïne Neu Falkenstein, in de buurt van Balsthal
162 | Romeinse stad "Augusta Raurica"
163 | Idyllisch Aarburg
164 | Getuigen van het middel-eeuwse Aarau met Oberturm
165 | Levende kunst van Jean Tinguely in Basel
166 | Swiss Indoors, het tennis-evenement
167 | Traditioneel carnaval van Zwitserland in Basel

LEYENDAS MY SWITZERLAND

Lucerna - Suiza central

5 Puente de la Capilla y Torre del Agua, símbolos de Lucerna
6 Vista desde el Bürgenstock
7 Lago de los Cuatro Cantones, barco de vapor "Uri"
8 Pilatusbahn, el tren de cremallera más empinado del mundo
9 Fronalpstock, vista a la montaña Rigi
10 Quesos en cueva de arenisca en Kaltbach, cantón de Lucerna
11 Ondear bandera, antigua costumbre suiza
12 Vaca marrón en paisaje de los Alpes
12 Puerto Klausen con muchas curvas
13 Garganta Schöllenen con el legendario "Puente del Demonio"
14 Fuente de Kolin y Torre del Reloj, símbolos de Zug
14 Torre de la Pólvora, Zug
15 Tren histórico Stanserhornbahn
16 Nicolás de Flüe, Patrón de Suiza
17 Vista idílica al Lago Lungerersee

Zúrich

19 Zúrich de noche, vista al río Limmat y al casco histórico
20 Quema del Böögg en la tradicional fiesta Sechseläuten
21 Paradeplatz, centro de Zúrich
22 Catedral Grossmünster, símbolo de la ciudad
23 Vida nocturna en el Niederdorf
24 Paseo del Lago de Zúrich
25 Vistosa casa Riegelhaus, Hedingen
26 La puerta al mundo, Aeropuerto de Zúrich
27 Descubrir las ciencias en Technorama de Winterthur

Este de Suiza

29 Vista panorámica desde el Säntis
30 Plaza del Ayuntamiento, Stein am Rhein
31 Fortaleza Munot, Schaffhausen
32 Peces en las Cataratas del Rin
33 Cataratas del Rin
34 Miradores artísticos en Gottlieben
35 Steckborn junto al Lago Untersee
36 Variedad de quesos suizos
37 El histórico Römerhof, Arbon
38 Desfile en Appenzell
39 Fachadas en Appenzell
40 Traje típico de Appenzell
41 El Lago Seealpsee, desde el Säntis
42 La colegiata en San Galo
43 Vista de Rapperswil

Grisones

45 Vista panorámica, Puerto de Bernina
47 "Glacier Express", Filisur
48 Hockey sobre hielo, Davos
49 Paisaje de ensueño, Davos
50 "Velaje de Luces" en Arosa, del gran arquitecto Mario Botta
51 Vista del Lago de Sils
52 La mítica garganta Via Mala
52 Baños termales en rocas, Vals
53 St. Moritz, lugar turístico mundialmente conocido
54 "Schellenursli", figura de libro infantil, Zuoz
55 Castillo de Cuentos, Tarasp
55 Techo de madera en la iglesia San Martín, Zillis
56 Aventura en el tren Bernina
57 Ambiente italiano, Poschiavo
58 Garganta del Rin anterior, Flims
59 Puerto de San Bernardino
60 Flora alpina, el cardo plateado
61 Gastronomía engadina, Chur

62 Casas del Bergell, Soglio
63 La cabra montesa, reina de los Alpes
64 Casas típicas en Müstair
65 La naturaleza en el Parque Nacional

Tesino

67 Gandria con el San Salvatore
68 Lugar único para excursiones, las aguas frías de Maggia
69 Carroza de correos Gotardo, carretera histórica Tremola
70 Puente de los Tres Saltos, Lavertezzo
71 Paseo en Ascona
72 1 de agosto - fiesta nacional de Suiza, Lago de Lugano
73 Vista desde San Salvatore
74 Lo más emblemático de Suiza en miniatura, Melide
75 El dique de Melide
76 Especialidades del Tesino
77 Pintoresco Morcote
78 Grotto tinesés, comer en un ambiente romántico
79 Delicias para el paladar
80 Corippo, pueblo de montaña
81 Polenta, especialidad de maíz
82 La islas de Brissago, un paraíso en el Lago Mayor
83 Romántico Centovalli

Valais

85 Gran glaciar Aletsch, el glaciar más grande de los Alpes
87 El Lago Stellisee con el famoso Matterhorn, Zermatt
88 El mayor lago subterráneo de Europa, St. Leonard
89 Capilla y montaña Bietschhorn

90	Vendimia en Valais, Sion
91	Castillo-iglesia Valère, Sion
92	Pirámides de Euseigne, Valle d'Hérens
93	Fondue, especialidad de queso
94	El muro de presa más alto de Suiza, Grande Dixence
94	Vaca adornada
95	Hotel y observatorio en la cresta Gornergrat - Zermatt
96	Flora alpina, genciana
97	Bettmeralp, aldea libre de coches
98	Máscaras, valle Lötschental
99	Vista invernal, la estación Mittelallalin, Saas Fee
100	Hotel Belvedere, puerto Furka
101	Nostálgico tren de vapor, puerto Furka
102	Asentamiento típico, Goms
103	Monumental patio interior en el palacio Stockalper, Brig
104	Snowboarder en Valais
105	Hielo perpetuo en el glaciar Fee, Saas Fee

Oeste de Suiza

107	Jet d'eau, la fuente de Ginebra y vista de la ciudad
108	Sede de la UNO en Ginebra
109	Paseo junto al lago en el barrio Ouchy, Lausanne
110	Viñedos, Lavaux
111	Barriles, Bodega de Montreux
112	Centro del Festival de Jazz Montreux con el Hotel Palace
113	El famoso Castillo Chillon a orillas del Lago de Ginebra
114	La Puerta de Berna en el casco histórico de Murten
115	Chocolate suizo, dulce producto de exportación

116	Catedral de Neuchâtel
117	Friburgo por encima del Saane
118	Gruyères, atracción turística
119	Tocando los cuernos alpinos en traje de viñador

Berna - Oberland Bernés

121	Top of Europe - Jungfraujoch
122	Bundeshaus en Berna, edificio del Parlamento
123	Arquitectura moderna, Centro Paul Klee, Berna
124	Torre "Zytglogge" en Berna
125	Moderna plaza de la estación con "baldaquín"
126	La lucha suiza, deporte tradicional
127	Casas rústicas típicas de Emmental, Eggiwil
128	Lago de Thun con vista a la montaña piramidal Niesen
129	Majestuoso castillo de Thun
130	El Doldenhorn, mundo alpino, por encima de Kandersteg
131	"Käseteilet", valle Justistal
131	Mercado de la cebolla, Berna
132	Lago Oeschinen
133	Viaducto cerca de Frutigen
134	Nostálgico ferrocarril de vapor hacia el Brienzer Rothorn
135	Glaciar superior Grindelwald
136	Museo al aire libre, Ballenberg
136	Lanzadores de piedra en la Fiesta "Unspunnen"
137	Aquí se rodó James Bond 007, Piz Gloria, Schilthorn-Mürren
138	Tren a Jungfrau con pico Eiger
139	Gran Hotel Viktoria-Jungfrau, Interlaken
140	Aareschlucht, imponente garganta
140	Figuras talladas de Brienz

141	Eiger, Mönch y Jungfrau, las estrellas del Oberland Bernés
142	Hotel Palace, Gstaad
142	Flora alpina, rododendro
143	Típica carrera de trineos
144	El casco antiguo de Biel con Casa Gremial "zum Wald"
145	Ligerz, iglesia e Isla San Pedro en el Lago de Biel

Jura

147	Caballos de la Meseta de Freiberge en pastos de Jura
148	Fuente Sauvage, Delémont
149	Paisaje típico de Jura
150	Antes de la tormenta, iglesia Corban en Delémont
151	Idílica excursión, Lago de Joux
152	St. Ursanne, ciudad histórica
153	Juego de espejos - Val de Travers
153	El campo junto a la ciudad

Basilea - Noroeste de Suiza

155	Ayuntamiento de Basilea
156	Baselworld, primera feria de relojes y joyas del mundo
157	Para amantes de relojes
158	Carga de barco, puerto del Rin
159	Alemania, Francia y Suiza, triángulo en el puerto de Basilea
160	Catedral del Obispado, Soleura
161	Puerta y torre del reloj, Laufen
161	Ruínas Neu Falkenstein
162	Urbe romana "Augusta Raurica"
163	Idílica ciudad Aarburg
164	La Torre Oberturm, testigo de la Edad Media en Aarau
165	Arte vivo de Jean Tinguely, Basilea
166	Swiss Indoors, evento de tenis
167	El carnaval tradicional de Basilea

LEGENDAS MY SWITZERLAND

Lucerna - Suíça Central

5 Ponte da Capela e Torre de Água, os símbolos de Lucerna
6 Vista do Bürgenstock
7 Lago dos Quatro Cantões, com o barco a vapor "Uri"
8 Pilatusbahn - o trilho dentado mais íngreme do mundo
9 Fronalpstock, vista para a Rigi
10 Depósito de queijo em caverna, Kaltbach - Cantão Lucerna
11 Agitar bandeiras, antigo costume suíço
12 Vaca marrom no idílio alpino
12 Passo do Klausen cheio de curvas
13 Garganta Schöllenen e a legendária Ponte do Diabo
14 Ponte Kolin e "Zytturm", os símbolos de Zug
14 Torre da pólvora em Zug
15 Histórico trem do Stanserhorn
16 Niklaus von Flüe, patrono e protetor da Suíça
17 Vista idílica no lago Lungerersee em Obwalden

Zurique

19 Zurique à noite, vista do rio Limmat e cidade velha
20 A tradicional Sechseläuten com a queima do Böögg
21 Paradeplatz, centro de Zurique
22 Grossmünster, o símbolo da cidade
23 Vida noturna no Niederdorf
24 Calçadão às margens do lago de Zurique
25 Imponente casa em estilo enxaimel em Hedingen
26 Aeroporto de Zurique
27 Technorama Winterthur, parque tecnológico

Suíça Oriental

29 Panorama da Säntis
30 Praça da prefeitura, Stein am Rhein
31 Munot em Schaffhausen
32 Vida selvagem, Cataratas do Reno
33 Espetacular: Cataratas do Reno
34 Sacada artística em Gottlieben
35 Steckborn, no Untersee
36 Variedade dos queijos suíços
37 Histórico pátio romano, Arbon
38 Desfile alpino, Appenzellerland
39 Fachada em Appenzell
40 Decorado traje do Appenzell
41 Lago Seealp visto da Säntis
42 A Colegiada de São Galo e sua arquitetura excepcional
43 Vista da cidade Rapperswil

Grisões

45 Panorama, passo do Bernina
47 Viaduto ferroviário com o "Glacier Express" em Filisur
48 Hóquei no gelo em Davos
49 Sonho de neve em Davos
50 "Regata de Luz" em Arosa, do famoso arquiteto Mario Botta
51 Vista panorâmica, lago de Sils
52 Mística garganta na Via Mala
52 Felsentherme em Vals
53 Melhor do Mundo - St. Moritz, destino de férias muito famoso
54 A figura do famoso livro infantil "Schellenursli" em Zuoz
55 Castelo de fábulas em Tarasp
55 Notável teto de madeira na igreja de St. Martin em Zillis
56 Aventura ferroviária, Bernina
57 Atmosfera italiana, Poschiavo
58 Garganta do rio Vorderrhein, Flims
59 Passo de São Bernardino
60 Flora alpina, o cardo prateado

61 Gastronomia local em Chur
62 Casas Bergeller em Soglio
63 Cabra montesa, rainha alpina
64 Casas típicas em Müstair
65 Vivência no Parque Nacional

Tessino

67 Gandria com San Salvatore
68 Destino muito popular, as águas frias do Vale Maggia
69 Carruagem correio na histórica pista da Tremola, Gotthard
70 Ponte dei Salti, Lavertezzo
71 Calçadão em Ascona
72 1° de agosto, feriado nacional Suíço no lago de Lugano
73 Vista do San Salvatore
74 Swissminiatur, a cópia da Suíça em Melide
75 O dique de Melide
76 Salame, especialidade local
77 Morcote pitoresco
78 Estadia romântica em um Grotto do Tessino
79 Delícias da culinária regional
80 Corippo, típica vila montanara
81 Polenta, delícia feita de milho
82 Ilhas Brissago, um paraíso no meio do Lago Maggiore
83 O romântico Centovalli

Valais

85 Grosser Aletschgletscher, a geleira mais longa dos Alpes
87 Lago Stellisee com a famosa Matterhorn acima de Zermatt
88 O maior lago subterrâneo da Europa em St. Leonard
89 Capela e o Bietschhorn
90 Vindima no Valais perto de Sion
91 Fortificação Valère em Sion

92 | Pirâmides bizarras perto de Euseigne em Val d'Hérens
93 | Fondue de queijo
94 | A represa com o muro mais alto da Suíça, Grande Dixence
94 | Vaca decorada de acordo com a tradição suíça
95 | Hotel e observatório sobre o Gornergrat - Zermatt
96 | Flora alpina, genciana
97 | Descanso livre de trânsito em Bettmeralp
98 | Máscaras do Lötschental
99 | Maravilhosa vista invernal da Mittelallalin perto de Saas Fee
100 | Hotel Belvédère no passo do Furka
101 | Nostálgico trem à vapor no passo do Furka

102 | Povoado típico em Goms
103 | Monumental pátio interno no palácio Stockalper em Brig
104 | Snowboard no Valais
105 | Gelo eterno na geleira Fee acima de Saas Fee

Suíça Ocidental
107 | Jet d'eau, fonte de Genebra e vista da cidade ao fundo
108 | Sede da ONU em Genebra
109 | Passeio de Ouchy às margens do lago em Lausanne
110 | Vinhedos em Lavaux
111 | Barris, Cave de Montreux
112 | Palace Hotel em Montreux capital do Festival de Jazz
113 | O famoso Castelo Chillon no lago de Genebra
114 | Portão de Berna na cidade Velha de Murten
115 | Chocolate suíço, o doce su-

cesso de exportação
116 | Catedral de Neuchâtel
117 | Freiburg sobre o rio Saane
118 | Atração turística, Gruyères
119 | Tocador de trompa alpina

Berna - Oberland Bernese
121 | Topo da Europa - Jungfraujoch
122 | Bundeshaus em Berna, a casa do Parlamento
123 | Arquitetura moderna, Centro Paul Klee em Berna
124 | A "Zytgloggeturm" em Berna
125 | Moderna praça da estação de trem com baldaquim
126 | Schwingen, antigo tipo de luta
127 | Casas rurais típicas do Emmental em Eggiwil
128 | Lago de Thun com vista sobre a bela pirâmide da Niesen
129 | Majestoso castelo em Thun
130 | Doldenhorn, imponente mundo alpino acima da Kandersteg
131 | Distribuição de queijo, Justistal
131 | Mercado de cebolas em Berna
132 | Paisagens encantadoras junto ao Oeschinensee
133 | Viaduto ferroviário em Frutigen
134 | Nostálgico trem à vapor sobre o Brienzer Rothorn
135 | Geleira superior de Grindelwald
136 | Museu no ar livre Ballenberg
136 | Lançar pedras, Festa "Unspunnen"
137 | Locação do James Bond 007, Piz Gloria, Schilthorn-Mürren
138 | Trem da Jungfrau com Eiger
139 | Viktoria - Jungfrau Grand Hotel em Interlaken
140 | Imponente garganta do Aare
140 | Artesanatos de Brienz
141 | Eiger, Mönch e Jungfrau - os

três picos da Oberland Bernese
142 | Hotel Palace em Gstaad
142 | Flora alpina, rododendro
143 | Tradicional corrida de trenó
144 | Cidade Velha de Bienne com a Casa de Grêmio Zum Wald
145 | Igreja de Ligerz com Ilha de St. Peter no lago de Bienne

Jura
147 | Cavalos Freiberger, Jura
148 | Fonte Sauvage em Delémont
149 | Paisagem típica do Jura
150 | Devoção antes da tempestade - igreja Corban em Delémont
151 | Passeio idílio no Lac de Joux
152 | Histórica St. Ursanne
153 | Jogo de espelhos - Val de Travers
153 | Campo e cidade lado à lado

Basiléia - Suíça norte-ocidental
155 | Prefeitura em Basiléia
156 | Baselworld, feira internacional de relógios e jóias
157 | Para os amantes de relógios
158 | Embarque no Porto do Reno
159 | Alemanha, França e Suíça se encontram na Tríplice fronteira no Porto de Basiléia
160 | Catedral de Soleura
161 | Obertor com Zeitturm em Laufen
161 | Ruina Neu Falkenstein
162 | Cidade romana Augusta Raurica
163 | Aarburg idílica
164 | Testemunhas da Aarau medieval com a Oberturm
165 | Obras de arte vivas de Jean Tinguely em Basiléia
166 | Swiss Indoors, o evento de tênis
167 | O carnaval mais tradicional da Suíça em Basiléia

Пояснения Моя Швейцария

Люцерн - Центральная Швейцария

5 Мост Капелльбрюке и водяная башня, символы Люцерна
6 Вид с горы Бюргеншток
7 Озеро в Люцерне с пароходом «Ури»
8 Пилатус - самая крутая в мире зубчатая железная дорога
9 Вид на гору Риги
10 Сыры в пещере Кальтбах, кантон Люцерн
11 Подбрасывание флага, старинный обычай
12 Буренка и альпийская идиллия
12 Извилистый перевал Клаузен
13 Ущелье Шелленен и легендарный Чертов мост
14 Фонтан Колин и башня с часами «Циттурм», город Цуг
14 Пороховая башня в Цуге
15 Горная железная дорога, Станс
16 Никлаус из Флюе, покровитель Швейцарии
17 Вид на озеро Лунген, Обвальден

Цюрих

19 Ночной Цюрих, река Лиммат и Старый город
20 Праздник «Зекселойтен» и сожжение чучела Бёгг
21 Площадь Парадеплац, Цюрих
22 Собор Гроссмюнстер, символ города
23 Ночная жизнь в Нидердорфе
24 Набережная Цюрихского озера
25 Дом из балок в коммуне Хединген
26 Ворота в мир, аэропорт Цюриха
27 Музей Технорама в Винтертуре

Восточная Швейцария

29 Панорама с горы Сентис
30 Ратушная площадь, Штайн-ам-Райн
31 Крепость Мунот, Шаффхаузен
32 Животный мир водопада
33 Рейнский водопад
34 Искусные эркеры, Готтлибен
35 Штекборн, озеро Унтерзее
36 Разнообразие швейцарских сыров
37 Ресторан-отель Рёмерхоф, Арбон
38 Праздник возвращения с горных пастбищ, Аппенцелль
39 Фасады домов, Аппенцелль
40 Нарядная традиционная одежда, Аппенцелль
41 Озеро Зееальп и гора Сентис
42 Завораживающая архитектура Соборной церкви, Санкт-Галлен
43 Рапперсвилль

Граубюнден

45 Перевал Бернина
47 Мост-виадук и «Ледниковый экспресс» около Филизура
48 Хоккейный матч в Давосе
49 Зимняя сказка, Давос
50 «Паруса света» архитектора Марио Ботта, Ароза
51 Зильское озеро
52 Ущелье Виа Мала
52 Каменные термы в Вальсе
53 Санкт-Мориц - всемирно известный курорт
54 «Шеллен-Урсли» - персонаж детской книжки, Цуоц
55 Сказочный замок Тарасп
55 Церковь Св. Мартина, Циллис: расписной деревянный потолок
56 Поезд, перевал Бернина
57 Итальянский стиль, Поскьяво

58 Рейн около Флимса, ущелье
59 На перевале Сан-Бернардино
60 Альпийская флора
61 Бюндерский ресторан в Куре
62 Дома в коммуне Сольо, Бергелль
63 Горный козел, король Альп
64 Типичные дома, Мюстаир
65 Швейцарский национальный парк

Тессин

67 Гандрия и гора Сан-Сальваторе
68 Прохладные воды реки Маджи
69 Почтовая карета на дороге Тремола
70 Мост Понто деи Салти у Лавертеццо
71 Набережная в Асконе
72 1-е августа, национальный праздник Швейцарии, Лугано
73 Вид с горы Сан-Сальваторе
74 Швейцария в миниатюре в Мелиде
75 Дамба в Мелиде
76 Салями, деликатес в Тессине
77 Живописное Моркоте
78 «Грот» в тессинском стиле
79 Региональные деликатесы
80 Горная деревушка, Кориппо
81 Полента, вкусное блюдо из кукурузы
82 Бриссаго, рай посреди озера Лаго-Маджоре
83 Долина Чентовалли

Валлис/Вале

85 Ледник Алетч, самый длинный в Альпах
87 Озеро Штеллизее, гора Маттерхорн, Церматт
88 Деревянная часовня и Бичхорн
89 Часовня и Битчхорн
90 Сбор винограда возле Сьона

91	Церковь-крепость Валер, Сьон
92	Причудливые пирамиды Дозень, Валь д'Эран
93	Традиционное блюдо из сыра: фондю
94	Самая высокая плотина в Швейцарии Гранд Диксенс
94	Корова, украшенная по швейцарскому обычаю
95	Гостиница и обсерватория на хребте Горнерграт - Цермат
96	Альпийская флора: горечавка
97	Отдых на склоне горы Беттмеральп
98	Деревянные маски, долина реки Лонца
99	Сказочный пейзаж вблизи Саас-Фее
100	Отель Бельведер, перевал Фурка
101	Ностальгическая железная дорога, перевал Фурка
102	Типичное селение, долина Гомс
103	Внутренний двор в замке Штокальп в Бриге
104	Сноубордисты в Валлисе
105	Вечный снег, ледник Фее над Саас-Фее

Западная Швейцария
107	Фонтан в Женеве, вид на город
108	Резиденция ООН в Женеве
109	На набережной Уши, Лозанна
110	Виноградники, Лаво
111	Винные бочки, погреб в Монтрё
112	Отель Монтрё-Палас в столице джаза Монтрё
113	Знаменитый Шильонский замок на Женевском озере
114	Бернские ворота, Муртен
115	Швейцарский шоколад - сладкий продукт экспорта
116	Собор в Невшателе
117	Город Фрибург над рекой Сарин
118	Грюйер - туристическая достопримечательность
119	Музыканты, играющие на альпийском рожке

Берн - Бернское нагорье
121	Вешина Европы - Юнгфрауйох
122	Здание парламента в Берне
123	Центр Пауля Клее в Берне
124	Башня «Цитглокке», Берн
125	Привокзальная площадь в современном оформлении
126	Национальная борьба «Швинген»
127	Типичные дома в долине Эмменталь, Эггивиль
128	Тунерское озеро и вид на пирамиду Низен
129	Величественный замок Тун
130	Дольденхорн, над Кандерштегом
131	Раздача сыров в долине Юстис
131	Луковый рынок в Берне
132	Сказочные декорации озера Ёшенен
133	Мост-виадук возле Фрутигена
134	Ностальгическая железная дорога возле Бриенца, Ротхорн
135	Верхний глетчер Гринденвальд
136	Музей под открытым небом Балленберг
136	Метание камней, Уншпруннен
137	Место съемок к/ф о Джеймсе Бонде - пик Глория, Шильтхорн
138	Железная дорога на Юнгфрау и вид на Айгер
139	Гранд-отель Виктория - Юнгфрау в Интерлакене
140	Импозантное ущелье реки Ааре
140	Фигурки из дерева, Бриенц
141	Бернское нагорье: Айгер, Мёнх и Юнгфрау
142	Палас-отель в Гштааде
142	Роза альпийская
143	Санные состязания
144	Биль/Бьен, дом гильдии «у Леса»
145	Церковь в Лигерце и остров Св. Петра на Бильском озере

Юра
147	Лошади на лугах Юры
148	Источник в Делемоне/ Дельсберге
149	Типичный юрский пейзаж
150	Перед грозой, церковь Корбан, возле Делемона/Дельсберга
151	Отдых на озеро Лак-де-Жу
152	Исторический Сан-Урсанн
153	Долина Валь-де-Травер
153	Город и деревня рядом

Базель - Северо-западная Швейцария
155	Ратуша в Базеле
156	Всемирная выставка часов и ювелирных изделий, Базель
157	Рай для любителей часов
158	Загрузка судов в гавани, Рейн
159	Германия, Франция и Швейцария встречаются в гавани в Базеле
160	Епископский собор, Солотурн
161	Ворота и часовая башня, Лауфен
161	Руины «Новый Фалькенштайн» около Бальсталя
162	Римский город Августа Раурика
163	Идиллический Арбург
164	Свидетель средневекового Аарау с главной башней
165	Живое искусство Жана Тенгели в Базеле
166	«Свисс Индоорс», теннисный турнир
167	Традиционный карнавал в Базеле

「私のスイス」の説明

中央スイス
5 ルツェルンのカペル橋と貯水塔、ルツェルンのシンボル
6 ビュルゲンシュトックの眺め
7 フィアヴァルトシュッテッテ湖と古風の蒸気船「ウリ」
8 ピラトゥス鉄道、世界で最も急傾斜のアプト式鉄道
9 フロンアルプシュトック、リギへの眺め
10 砂岩の中のチーズ倉庫、ルツェルン州のカルトバッハ
11 旗振り、スイスの伝統行事
12 牧歌的なアルプスと茶牛
12 Sカーブの多いクラウゼン峠
13 悪魔の橋とシェレネン峡谷
14 コリンブルネンと「時計塔」、ツークのシンボル
14 ツークの旧火薬塔
15 伝統的なスタンザーホルン鉄道
16 ニクラウス・フォン・フリュー、スイスの保護神
17 オブヴァルデンのルンガー湖への牧歌的な眺め

チューリッヒ
19 チューリッヒの夜景、リマート川と旧市街への眺め
20 伝統的なゼックスロイテンとボェグ焼却占い
21 パレード広場、チューリッヒ中央区
22 グロースミュンスター（大聖堂）、チューリッヒのシンボル
23 ニーダードルフのナイトライフ
24 チューリッヒ湖の湖岸散策路
25 ヘディンゲンの市民的な木組み構造ハウス
26 チューリッヒ空港、世界への玄関
27 テクノラマ・ヴィンタートゥーア、技術の体験パーク

東スイス
29 センティスからの眺め
30 ラインの町シュタインの市役所広場
31 シャフハウゼンの円形砦塞
32 ラインの滝での動物体験
33 ラインの滝の轟き
34 ゴットリーベンでの芸術的な出窓
35 ウンターゼー沿いの町シュテックボルン
36 スイスチーズの多様性
37 歴史的なローマ人家屋、アルボンにて
38 アルプアップツーク、アッペンツェル地方の行事
39 アッペンツェルの家屋の正面
40 伝統的なアッペンツェル民族衣装
41 アルプゼー湖、センティスからの眺め
42 荘厳な教会建築、サン・ガレン教区教会
43 ラッパースヴィル市景観

グラウビュンデン
45 ベルニナ峠のパノラマ景観
47 フィリズーアでの「氷河特急」と鉄道高架橋
48 ダヴォスでのアイスホッケー競技
49 ダヴォスの魅惑の冬景色
50 著名建築家マリオ・ボッタによる「リヒトゼーゲル」、アローザにて
51 ジルバーゼー（湖）への遠望
51 神秘的なヴィア・マラの峡谷
52 ヴァルスの岩風呂
53 世界のトップ － 世界に有名な保養地サン・モーリッツ
54 有名な児童文学「鈴のウルスリ」、ズオズにて
55 タラスプの童話の城
55 ツィリスのサン・マルチン教会の木製天蓋、一見の価値あり
56 ベルニナでの（山岳）鉄道体験
57 ポスキアーヴォのイタリア風情
58 フリムスでの前ライン峡谷
59 サン・ベルナルディーノ峠
60 銀アザミ、アルペン植物

61 クールのビュンデン郷土レストラン
62 ソグリオのベルゲル家屋
63 アルプンの王者、野生山羊
64 ミュスタイアーでの典型家屋
65 自然体験のナショナルパーク

テッシン
67 サン・サルヴァトーレ山とガンドリア
68 人気のあるトレッキングポイント、マッギア川の冷たい氷
69 歴史的なトレモラ街道でのゴットハルト郵便馬車
70 ラヴェルテッツォ村のポンテ・デイ・サルティ
71 アスコーナの湖畔散歩道
72 8月1日、スイスの国民休日、ルガーノ湖にて
73 サン・サルヴァトーレ山からの眺め
74 メリーデのミニチュア版スイス国
75 メリーデ・ダム
76 サラミ、テッシンの名産品
77 絵画的なモルコーテ村
78 ロマンティックなテッシン地方のグロット（レストラン）
79 地方独特のもてなし
80 コリッポ、典型的な山岳村
81 ポレンタ、美味な唐黍料理
82 ブリッサーゴ島、マギオーレ湖に浮かぶパラダイスの島
83 ロマンチックなセントヴァリの谷あい

ヴァリス
85 大アレッチュ氷河、アルプス最大の氷河
87 ステリゼー（湖）からの有名なマッターホルンの眺め、ツェルマット上
88 サン・レオナルドの欧州最大の地底湖
89 木製教会とビーチュホルン山
90 シオンでのヴァリス名物の葡萄摘み
91 シオンのヴァレーレ・バジリカ教会

184

92	ヴァル・デランのオイセーニュにおける奇妙なピラミッド群
93	郷土料理、フォンデュー
94	スイス最高度にある発電ダム、グラン・ディクサンス
94	スイスの伝統に基づいて飾り付けされた牛
95	ゴルナーグラート上の天文観測所兼山岳ホテル ツェルマット
96	アルペン植物、リンドウ
97	自動車禁止のベットマーアルプ村での保養
98	レッチェンタールの木製マスク
99	サースフェー村のミッテルアラリン(レストラン)からの夢のような眺め
100	フルカ峠のベルヴェデーレ・ホテル
101	フルカ峠のノスタルジックな蒸気機関鉄道
102	ゴムス地区の典型的な居住地
103	ブリグのストックアルパー宮殿の記念碑的な宮廷中庭
104	ヴァリスでのスノーボード・プレイ
105	サースフェー村上のフェー氷河の永久氷

	西スイス
107	ジェドー(噴水)とジュネーヴ市の景観
108	ジュネーブのUNO本部
109	ローザンヌのウチー湖畔の散策路にて
110	ラヴォーでのブドウ畑
111	ワイン樽、カーヴ・ド・モントルー
112	ジャズ祭の中心地モントルーとパレスホテル
113	レマン湖畔の有名なシヨン城
114	ムルテン旧市街のベルン門
115	甘味輸出製品 スイス製チョコレート
116	ノイエンブルグの大聖堂
117	ザーネ川上のフライブルグ市

| 118 | グリュィエールでの観光アトラクション |
| 119 | 民族衣装のアルペンホルン奏者 |

	ベルン - ベルナーオーバーランド
121	欧州の最高峰 - ユングフラウヨッホ
122	ベルンの連邦議会堂
123	ベルンの近代建築、パウル・クレー・センター
124	市のシンボル、時計塔
125	ベルンの近代的な駅前広場と「天蓋」
126	シュヴィンゲン(レスリング)、伝統スポーツ
127	エッギヴィル村の典型的なエメンタール農民家屋
128	トゥーナーゼー(湖)と美しいピラミッド(ニーセン山)への眺め
129	荘厳なトゥン城
130	カンダーシュテック上の堂々たる山岳世界、ドルデンホルン
131	ユスティスタール村のチーズ籤引き
131	ベルンの野菜市
132	エシネンゼー(湖)の夢のような山情景
133	フルーティゲンの鉄道高架橋
134	ブリエンツのロートホルン山上のノスタルジックな蒸気鉄道
135	上グリンデルヴァルト氷河
136	バレンベルクの野外博物館
136	石投げ競技者、ウンシュプネン・フェスト
137	ジェームスボンド007の撮影地、ピズ・グロリア、シルトホルン-ミュレン
138	アイガーとユングフラウ鉄道
139	インターラーケンのホテル・ヴィクトリアーユングフラウ
140	威圧感のあるアーレ峡谷
140	ブリエンツ特産の彫刻製品
141	ベルナーオーバーランドのシンボル - アイガー、メンヒとユングフラウ
142	グスタードのパレスホテル
142	アルペン植物、ツツジ
143	伝統的な櫓競技
144	ビール旧市街と樵のツンフトハウス
145	ビーラーゼー(湖)のリゲルツ教会とサン・ペータース島

	ジュラ
147	ジュラ草原のフライベルグ馬
148	デルスベルグのソヴァージュ・ブルネン
149	典型的なジュラ地方の風景
150	嵐の前の祈り、デルスベルグの夢のコルバン教会にて
151	ラック・ド・ジュー(湖)の散策風景
152	歴史的なサン・ウルザンネ村
153	鏡芸術 - ヴァル・ド・トラヴェルス
153	調和の取れた町と自然環境

	バーゼル・北西スイス
155	バーゼル市役所
156	バーゼルワールド、時計と装飾品の国際メッセ会場
157	時計愛好者のパラダイス
158	ライン川の荷積みボート
159	ドイツ、フランス、スイスが一同に集まるバーゼル港
160	ソロトゥルン司教区教会
161	ラウフェンの上門と時計塔
161	古城「ノイ・ファルケンシュタイン」、バルスタールの近郊
162	ローマ人町「アウグスタ・ラウリカ」
163	牧歌的なアールブルグ
164	中世感覚のアーラウとオーバートゥルム
165	バーゼルのジャン・ティンゲリによる活き活きとした芸術
166	スイス・インドアスポーツ、テニス競技
167	スイスで最も伝統的なバーゼルのカーニヴァル

《我的瑞士》图释

	琉森/卢塞恩—瑞士中部
5	卡佩尔木桥和水塔—琉森/卢塞恩的象征
6	布尔根施托克美景
7	四森林州湖与湖上享有盛誉的"乌里号"蒸汽轮
8	皮拉图斯铁路—世界上最陡的齿轨铁路
9	弗朗阿尔普山—展望瑞吉山美景
10	琉森/卢塞恩州卡尔特巴赫地区砂石岩洞中的奶酪仓库
11	舞彩旗—传统的瑞士习俗
12	阿尔卑斯田园风光中褐色的牛
12	曲曲弯弯的克劳森山口
13	雪朗嫩(Schöllenen)峡谷以及传奇般的魔鬼桥
14	科林喷泉(Kolinbrunnen)和"钟楼"—楚格的象征
14	楚格的老大药塔
15	富有历史传统的石丹峰铁路
16	被封圣的瑞士国家圣徒—弗吕厄的圣尼古拉
17	上瓦尔登林龙疆湖的田园风光

	苏黎世
19	苏黎世夜景,利马特河和老城景色
20	传统的六鸣节以及燃烧象征冬天的稻草人习俗
21	阅兵广场—苏黎世市中心
22	大教堂—苏黎世市的象征
23	尼德道夫(Niederdorf)的夜生活场景
24	苏黎世湖的湖滨大道
25	海丁根城壮观的桁架结构房屋
26	苏黎世机场—通向世界的大门
27	温特图尔Technorama自然科学博物馆—科学技术体验公园

	瑞士东部
29	森蒂斯山全景
30	莱茵河畔施泰因的市政厅广场
31	沙夫豪森镇的米诺要塞

32	莱茵瀑布旁体验动物世界
33	雷霆万钧的莱茵瀑布
34	歌特利本(Gottlieben)富有艺术风味的凸窗
35	下湖畔的施泰克博恩小镇
36	丰富多彩的瑞士奶酪
37	阿尔邦市富有历史传统的罗马宫廷酒店(Römerhof)
38	阿彭策尔地区秋季牛羊下山的庆典
39	阿彭策尔市的房屋面墙
40	阿彭策尔地区民俗服饰
41	阿尔普舍(Seealpsee),森蒂斯山上的美景
42	圣加仑修道院—富有魅力的教堂建筑设计
43	拉波斯维尔的城市风貌

	格劳宾登州
45	伯连那关隘(Berninapass)的全景图
47	菲利苏尔(Filisur)铁路高架桥以及"冰川观光快车"
48	达沃斯的冰球大赛
49	达沃斯的冰雪梦幻
50	阿罗萨由世界著名建筑师马里奥·波塔设计的"光帆"酒店
51	眺望西斯湖远景
52	神秘的维亚玛拉峡谷
53	瓦尔斯的岩石温泉
54	圣莫里茨世界一流—世界著名的疗养胜地
54	佐尔兹镇上儿童故事 "乌斯里的铃铛" 中的角色造型
55	塔拉斯普童话般的城堡
55	位于茨利斯的圣·马丁教堂木顶是一道名胜
56	伯尔尼纳独特的铁路体验
57	在波斯基亚沃感受意大利特色
58	位于弗利姆斯的莱茵峡谷前段
59	圣贝尔纳尔迪诺高高的山口
60	高山植物—银蓟

61	库尔的格劳宾登餐饮
62	索利奥位于贝格尔山谷的房屋
63	野山羊—阿尔卑斯山之王
64	米施泰尔地区的典型房屋
65	国家公园中的大自然体验

	提契诺州
67	刚德里亚以及圣萨尔瓦多尔多山
68	玛基娅清凉的水—受人喜爱的郊游目标
69	圣哥达邮政马车行驶在富有历史传统的特莱默拉(Tremola)盘山小路上
70	拉维尔特伏的"跳跃之桥"
71	阿斯科纳的湖滨大道
72	八月一日卢加诺湖边的瑞士国庆节
73	圣萨尔瓦多尔风光
74	瑞士微缩景观公园(Swissminiatur)—整个瑞士微缩于梅丽德
75	梅丽德堤坝
76	色拉米香肠—提契诺特产
77	如画幼迷的莫尔格特(Morcote)
78	可作浪漫逗留的提契诺普通小酒馆(Grotto)
79	本地的特色风味
80	寇里坡(Corippo)—典型的山村
81	Polenta—精美的玉米特产
82	布里萨戈岛—玛究瑞湖湖心的一座伊甸园
83	浪漫的尖头瓦利(Centovalli)小火车

	瓦莱州
85	大阿雷企冰川—阿尔卑斯山最长的冰川
87	策尔马特上方的斯泰利湖及世界著名的马特洪峰
88	位于圣雷奥纳的欧洲最大的地下湖
89	木结构小教堂和比奇峰
90	锡永的瓦莱地区葡萄丰收景象

91 锡永的瓦莱城堡
92 艾宏山谷(Hérens)中怪异的奥舍伊格内(Euseigne)金字塔
93 奶酪火锅—特色奶酪
94 瑞士最高的水坝—大迪克桑斯水坝(Grande Dixence)
94 瑞士传统习俗装饰的牛
95 策马特高那葛拉特平台上的山地旅馆和天文台
96 高山植物—龙胆根
97 在贝特默尔阿尔卑地区无汽车环境中疗养休闲
98 伦琴谷(Lötschental)的木制面具
99 萨斯费(Saas Fee)镇米特尔阿拉林(Mittelallalin)山梦幻般的冬日景致
100 富卡山口的贝尔维德勒(Belvedere)宾馆
101 富卡山口令人思乡怀古的蒸汽火车
102 高姆斯(Goms)典型的居民点
103 布里格的斯托克阿尔佩尔宫殿(Stockalperpalast)不朽的内部庭院
104 瓦莱州的滑雪板活动
105 萨斯费上方费鹅冰川(Feegletscher)终年不化的坚冰

瑞士西部
107 日内瓦的象征—大喷泉和日内瓦城市景观
108 日内瓦联合国组织所在地
109 洛桑的乌契(Ouchy)湖滨
110 拉沃(Lavaux)的葡萄山
111 蒙特勒酒窖的酒桶
112 爵士音乐节—蒙特勒要塞以及皇宫酒店
113 日内瓦湖中著名的西庸城堡(Château Chillon)
114 穆尔滕(Murten)老城中的伯尔尼大门
115 瑞士巧克力—甜美的出口拳头产品
116 纳沙泰尔州的大教堂
117 高耸于萨林(Saane)河谷的弗里堡

118 格律耶尔(Greyerz)—旅游热点
119 身穿酿酒民俗服装的阿尔卑斯山长号吹奏者

伯尔尼—上伯尔尼地区
121 欧洲之巅—少女峰
122 伯尔尼的联邦大厦—议会大厦
123 时尚的建筑—伯尔尼的保罗·克莱(Paul Klee)中心
124 伯尔尼的"钟楼"
125 伯尔尼现代化的火车站广场以及"宝大锦(Baldachin)"
126 摔跤—一种古老的运动形式
127 艾吉维尔(Eggiwil)典型的埃门塔尔(Emmental)农居
128 图恩湖以及在此瞭望尼森的金字塔峰美景
129 庄严的图恩城堡
130 多尔登峰—坎德施泰德上部雄伟的山地世界
131 尤斯蒂斯塔尔(Justistal)举行的分奶酪节庆
131 伯尔尼的洋葱集市
132 厄西嫩湖(Oeschinensee)畔梦幻般的山色
133 弗鲁蒂根(Frutigen)的铁路高架桥
134 布里恩茨(Brienz)的洛特峰上充满怀旧情结的蒸汽火车
135 格林德瓦尔德冰川上部
136 巴伦堡(Ballenberg)的露天博物馆
136 掷石比赛—具有悠久历史的节庆
137 007的拍摄地—雪朗峰穆伦镇的皮兹葛里亚(Piz Gloria)餐厅
138 少女峰铁路和艾尔格山
139 因特拉肯的大酒店Viktoria - Jungfrau Grand Hotel
140 壮观的阿勒峡
140 布里恩茨的木雕
141 伯尔尼高原的三座主要山峰艾尔格山、莫希峰以及少女峰
142 格斯达镇的皇宫酒店(Hotel Palace)
142 高山植物—阿尔卑斯山玫瑰
143 传统的滑雪橇比赛
144 比尔老城以及瓦尔特会馆(Zunfthaus zum Wald)
145 利格茨的教堂以及比尔湖上的圣皮埃尔岛

汝拉州
147 汝拉牧场上的弗赖伯格马
148 德尔斯堡的野性喷泉
149 典型的汝拉景色
150 风暴前的祈祷—德尔斯堡的科尔班(Corban)教堂
151 汝湖畔的郊游大堂
152 富有历史传统的圣乌萨涅小镇
153 镜中反映的瓦尔德特拉韦尔(Val-de-Travers)
153 城乡紧密结合

巴塞尔—瑞士西北部
155 巴塞尔的市政厅
156 巴塞尔世界(Baselworld)—世界钟表珠宝展
157 钟表爱好者的天堂
158 莱茵港正在运装货物
159 德国、法国和瑞士汇聚在巴塞尔港的三国边境交界点
160 索洛图恩市的主教管区大教堂
161 劳芬镇的上城门与钟楼
161 巴斯塔尔(Balsthal)附近的新法尔肯施泰因遗址
162 罗马城市"奥古斯塔劳里卡(Augusta Raurica)"
163 田园风光般的阿尔堡(Aarburg)
164 见证中世纪阿劳城的上塔楼
165 巴塞尔让·汤格利(Jean Tinguely)博物馆活生生的艺术品
166 Davidoff 瑞士室内赛—网球盛事
167 巴塞尔有瑞士最富传统的狂欢节

चित्रावली माॅय स्विट्ज़रलैंड

लुसर्न - मध्य स्विट्ज़रलैंड

5 कापल पुल और वासरटुर्म, लुसर्न का प्रसिद्ध प्रतीक
6 बुर्गनस्टोक से नज़ारा
7 लेक लुसर्न पर स्टीमबोट „ऊरी"
8 पिलाटुस रेल, दुनिया की सब से ढालू रेल
9 फ़ोनएल्पस्टोक से रिगी की झांकी
10 कैन्टन लुसर्न की काल्टबाख गुफ़ा में चीज़ का गोदाम
11 झंडा लहराना-पुरानी स्विस परम्परा
12 ऐल्प्स की भूरी गाय
12 क्लाउज़न का मोड़दार पास
13 श्युलन महाखड्ड और पौराणिक डेविल पुल
14 कोलिन फ़ैआरा और „सिष्टटुर्म" - सूग का प्रसिद्ध प्रतीक
14 सूग में पूल्वर-टुर्म
15 ऐतिहासिक स्टेन्सर होर्न रेल
16 फलयू के नीकोलॉस-स्विट्ज़रलैंड के रक्षक
17 आबवाल्डन में लेक लग्रर का लाजवाब नज़ारा

ज्युरिख

19 ज्युरिख में रात-लिम्माट नदी और प्राचीन नगर का चित्र
20 बुग्ग पूतले का जलन-सेक्सलाउटन मेला
21 ज्युरिख में परेड स्थल
22 गिरजाघर ग्रोस मुन्स्टर - प्रसिद्ध प्रतीक
23 निडरडोर्फ़ में रात
24 लेक ज्युरिख के किनारे सैर सपाटा
25 हैडिन्नन - लकड़ी का घर
26 ज्युरिख हवाईअड्डा
27 टैक्नोरामा विन्टरथूर - तकनीकी प्रदर्शनी

पूर्व स्विट्ज़रलैंड

29 सेन्तिस से नज़ारा
30 नगरपालिका-स्टाइन अम राइन
31 मुनो किला, शाफ़हाउसन
32 राइन फ़ाल्स में जीव-जगत
33 राइनफ़ाल-गरजता धमाका
34 गोटलिन-कलात्मक झरोखे
35 लेक ऊंटरसे के किनारे स्टैकबोर्न
36 स्विस चीज़ के अनेक रूप
37 आरबोन का ऐतिहासिक होटल रोमरहोफ़
38 आपेनसेल में चरवाहा मेला
39 आपेनसेल के कलात्मक घर
40 आपेनसेल की खूबसूरत पोशाक
41 सेन्तिस से लेक सेंएल्प का दृश्य
42 संत गालन के स्तिफ़्ट गिरजाघर की मोहित वास्तु-कला
43 रेपर्सविल्ल की झांकी

ग्राउब्यून्डन

45 बेरनीना पास - विशाल दृश्य
47 फ़िलीसुर के पास रेलवे पुल और „ग्लेशियर एक्सप्रेस" रेल
48 डावोस में आइस हाकी खेल
49 डावोस का हिम सौन्दर्य
50 आरोसा में स्टारआरकीटेक्ट मारियो बोटा का „लिख्तसेगल"
51 लेक सिल्स का मनमोहक नज़ारा
52 रहस्यमय विया माला महाखड्ड
52 वैल्स में पहाड़ी स्पा
53 विश्व चोटी-संत मोरित्स, छुट्टीयां गुजरने के लिए दुनिया का प्रसिद्ध स्थान
54 बच्चों की किताब के हीरो „सैल्नउर्सली"
55 तारस्प में परियों का किला
55 सिल्लीस के संत मार्टीन गिरजाघर की छत पर लकड़ी में चित्रकला
56 बेरनीना में रेल-सफ़र
57 पोशिआवो में ईतालवी चाल-चलन

58 फलीमस के पास ऊपरी राइन खड्ड
59 संत बैरनार्डीनो की चोटी
60 सिल्वर थिस्ल, ऐल्प्स के फूल
61 चूर के स्थानीय व्यंजन
62 सोग्लियो में बैर्गल घर
63 साकिन, ऐल्प्स राजा
64 म्युस्टर में पारम्परिक घर
65 नैशनल पार्क

टीसीन

67 गंद्रिया और संत सालवातोरे
68 मनमोहक सैरगाह-मैगिआ नदी का शीतल जल
69 ऐतिहासिक त्रेमोला पथ पर गोतार्ड रथ-सवारी
70 लावेंतेज़ो के पास पोन्ते देयी साल्ती
71 आसकोना में सैरगाह
72 पहली अगस्त को लेक लुगानो पर स्विस राष्ट्रीय दिवस त्यौहार
73 संत सालवातोरे से नज़ारा
74 मेलिडे में स्विट्ज़रलैंड का लघु-माडल
75 मेलिडे डैम
76 सलामी-टीसीन की खासियत
77 मोहक मोरकोट
78 रोमांटीक पलों के लिए टीसीन ग्रोटो
79 स्थानीय व्यंजन का स्वाद
80 कोरिपो-असली पहाड़ी गांव
81 पोलेन्टा, मक्के का खास भोजन
82 लेक माजोरे के बीच खूबसूरत ब्रिसजो टापू
83 रोमांटीक सेन्तोवाली

वालिस

85 आलेच ग्लेशियर, ऐल्प्स का सब से बड़ा ग्लेशियर
87 सेरमात के ऊपर लेक स्तेलिस और प्रसिद्ध मैटरहोर्न
88 संत लेयोनार्ड के पास यूरोप का

	सब से बड़ा भूमिगत लेक
89	लकड़ी से बना चैपल और पर्वत बिचनहोर्न
90	सियोन के पास वाइन के अंगूर
91	सियोन में वालेरे गिरजाघर का किला
92	उसैन के पास वाल दे हैरेन में अदभुत पिरैमिड
93	फॉन्ड्यु - मज़ेदार चीज़ पकवान
94	ग्रैंड डिक्सेन्स, स्विट्ज़रलैंड का सब से ऊंचा डैम
94	स्विस परम्परा से सजी गाय
95	सेरमात के गोरनग्रेट पर होटल और वेधशाला
96	ऐल्प्स का फूल-एनसियन
97	बेटमरऐल्प पर बिना कार के विराम
98	लुच्चन घाटी में लकड़ी के चेहरे
99	सॉस फे मिटलऑल्लालीन का बेमिसाल बरफीला नज़ारा
100	फूर्का पास पर होटल बेलवैदें
101	फूर्का पास पर पौराणिक स्टीम रेल
102	गोम्स में गांव
103	ब्रिग के स्टोकआल्पर महल का विशाल आंगन
104	वालिस में स्नोबोर्ड का आनंद
105	सॉस फे से ऊपर फे-ग्लेशियर पर अनन्त हिम
	पश्चिम स्विट्ज़रलैंड
107	जेतेओ फौआरे के सामने जनीवा की झांकी
108	जनीवा में राष्ट्रसंघ का मुख्यालय
109	लोज़ान में लेक ऊंची के किनारे
110	लावो के स्टोकआल्पर के अंगूरों के खेत
111	केव दे मोन्ट्रो में वाइन-ढोल
112	जैज़ फ़ेस्टिवल केन्द्र - मोन्ट्रो का पैलेस होटल
113	लेक जनीवा के किनारे प्रसिद्ध चिलोन किला
114	प्राचीन नगर मुर्टन में बर्नटोर

115	स्विस चाकलेट - निर्यात में बेमिसाल
116	नोयननर्ग का कैथीड्रल
117	साने ऊपर स्थित फ्रायबुर्ग
118	ग्रेअर्ज़ - पर्यटक स्थल
119	वाइन पहनावे में ऐल्पहोर्न संगीतकार
	बर्न - बर्नेज़ ऐल्प्स
121	यूरोप की चोटी-जंगफ़ावयोख
122	बर्न का संसद भवन
123	आधुनिक आर्किटेक्चर, बर्न में पॉल क्ले केन्द्र
124	बर्न में „ज़िट्ग्लोग टॉवर"
125	बर्न रेलवे स्टेशन का „बैलडकिन" से ढका आधुनिक चौहारा
126	लोकप्रिय खेल शिवंगन-स्विस कबड्डी
127	ऐगीविल एमनतालर फार्महाउस
128	लेक थुन और पिरैमिड आकार के निसन पहाड़ का दृश्य
129	थुन का राजसी महल
130	डोल्डनहोर्न, कान्डरस्टेग से ऊपर प्रभावभाली पर्वत श्रंखला
131	जुरिस्टस घाटी में चीज़ बाज़ार
131	बर्न में प्याजबाज़ार
132	खूबसूरत पर्वतों के सामने लेक ओशिनन
133	फ़ुटिग्न के पास रेलवे पुल
134	ब्रिन्ज़ में रोटहोर्न पर स्टीम ट्रेन में सफर का आनंद
135	ऊपरी ग्रिन्डलवाल्ड ग्लेशियर
136	बाल्मबर्ग ओपन-एअर म्यूजियम
136	ऊनस्पून मेला- पत्थर फेंकना
137	शिल्टहोर्न-मुर्रन - जेम्स बान्ड फिल्म स्थल पिज़ ग्लोरिया
138	आइगेर के सामने जंगफ़ाव रेल
139	इंटरलेकन में विक्टोरियाजंगफ़ाव ग्रैंड होटल
140	प्रभावभाली आरे महाखड्ड
140	ब्रिन्ज़ हथकला

141	बर्नेज़ ऐल्प्स में आइगर, मुंश, जंगफ़ाव
142	जेस्टाड में होटल पैलेस
142	ऐल्प्स गुलाब
143	पारम्परिक स्लेज रेस
144	बील का प्राचीन नगर और शिल्पस्रंग इमारत
145	लिग्रिज़ के गिरजाघर सामने लेक बील में संत पीटर टापू का दृश्य
	जूरा
147	जूरा घाटी में फ्रायबर्ग घोड़े
148	डेल्सबर्ग में सोवाज़ फौआरा
149	जूरा का नज़ारा
150	तूफान से पहले पूजा, डेल्सबर्ग के पास गिरजाघर कोरबन
151	लक दे जु पर पिकनिक स्थल
152	ऐतिहासिक संत यूरसान
153	वॉल दे ट्रैवर्स, आईने के खेल
153	नगर और गांव का मिलन
	बासल - उत्तर स्विट्ज़रलैंड
155	बासल की नगरपालिका
156	बासलवर्ल्ड, घड़ियों और जेवरों की प्रदर्शनी
157	घड़ियों के चाहकों के लिए बेमिसाल स्थान
158	राइन बन्दरगाह पर माल लादना
159	बासल त्रिकोण पर जर्मनी, फ्रांस और स्विट्ज़रलैंड के बाडर मिलते हैं
160	सोलोथुर्न कैथीड्रल
161	लाउफन में ओबरटोर घंटाघर
161	बाल्सथाल में नॉय फाल्कनस्टाइन का खंडहर
162	रोमन नगर „आगुस्ता रौरिका"
163	चित्रमय आरबर्ग
164	प्राचीन आराओ की मिनार
165	बासल में जॉन टिन्गुली की जीवत कला
166	टैनिस हाल खेल
167	बासल में पारम्परिक कारनीवल त्यौहार

89	الكنيسة الخشبية وقمة بيتشهورن
90	قطف العنب في فاليس عند سيون
91	الكنيسة المحصنة فاليز في سيون
92	الأهرامات الغريبة عند أوساني في فال ديرين
93	فندق التخصص في الجبن
94	أعلى حائط سد في سويسرا، جراند ديكسان
94	بقرة مزينة بحسب العادات السويسرية
95	الفندق الجبلي وموقع مشاهدة النجوم فوق قمة جورنرجرات ـ تسرمات
96	نباتات الألب، زهرة الجنتيانا
97	هدوء بلا سيارات في بيمبرالب
98	الوجوه الخشبية في لوتشينتال
99	منظر ساحر من منطقة الالين في زاس فيه
100	فندق بلفدير المطل على ممر فوركا
101	الحنين للماضي من خلال القطار البخاري في ممر فوركا
102	تجمع سكني تقليدي في جومس
103	البهو الداخلي لقصر شتوكالبر الأثري في بريج
104	الإثارة مع التزحلق على الجليد في فاليس
105	الجليد الخالد عند الممر الجليدي «فيه» أعلى منطقة زاس فيه

	غرب سويسرا
107	«جت دو»، نافورة جنيف الشهيرة مع البلدة في الخلفية
108	مقر الأمم المتحدة بجنيف
109	ممشى البحيرة بمنطقة أوشي في لوزان
110	جبال العنب في لافو
111	براميل النبيذ، كهف منتروه
112	مهرجان موسيقى الجاز ـ هوخبورج في منتروه بالإضافة إلى فندق بالاس
113	قصر شيون الشهير على ضفاف بحيرة جنيف
114	بوابة برن في المدينة القديمة بمنطقة مورتن

115	الشوكولاتة السويسرية، من ألذ مواد التصدير
116	كاتدرائية نوينبورج
117	فرايبورج ومشهد لبحيرة زانيه
118	الجذب السياحي في جريرتس
119	نافخي البوق في الزى التقليدي

	برنرأوبرلاند
121	أعلى قمم أوروبا ـ يونجفراويوخ
122	مقر الحكومة المركزية في برن، مبنى البرلمان
123	المعمار الحديث، مركز بول كليه في برن
124	برج تسيتجلوجيه في برن
125	ميدان المحطة (بانهوف بلاتس) الحديث في بالداخين
126	شفينجن، نوع من الرياضة السويسرية الأصيلة
127	منازل تقليدية من منطقة امنتال في اجيفيل
128	بحيرة تون ومشهد لهرم نيسن الجميل
129	قصر تون المهيب
130	قمة دولدنهورن، منطقة جبلية رائعة في أعالي كندرشتيج
131	احتفالية الجبن في برن
131	سوق البصل في برن
132	خلفية جبلية ساحرة عند بحيرة أوشينن
133	كوبري القطار في فروتيجن
134	الحنين إلى الماضي مع القطار البخاري عند قمة برنيتسر روتهورن
135	الممر الجليدي العلوي «جريندلفالد»
136	المتحف المفتوح في بالنرج
136	رماة الحجارة، عيد أونشبون
137	مكان تصوير فيلم جيمس بوند، بيز جلوريا، قمة شيلتهورن في مورن
138	قطار قمة يونجفراووقمة أيجر
139	فندق فيكتوريا ـ يونجفراوجراند في انترلاكن
140	وادي أريه العميق
140	متنوعات من برينتس
141	قمم أيجر ومونش ويونفراويوخ في

142	منطقة برنرأوبر لانر
142	فندق بالاس في جشتاد
142	نباتات الألب، ورود الألب
143	مسابقات التزحلق التقليدية
144	المدينة القديمة في بيل بالإضافة إلى مقر النقابات
145	كنيسة ليجرتس وجزيرة سانت بيتر في بحيرة بيل

	يورا
147	خيول الجبال الطليقة على مراعى يورا
148	بئر سوفاج في دلسبرج
149	الطبيعة في يورا
150	صلاة قبل العاصفة، كنيسة كوربان في دلسبرج
151	النزهة المثالية عند بحيرة جو
152	سانت أورسان التاريخية
153	لعبة المرأة ـ وادي ترافير
153	المدينة والطبيعة جنبا إلى جنب

	بازل ـ شمال غرب سويسرا
155	مجلس المدينة في بازل
156	عالم بازل، معرض الساعات والحلي العالمي
157	جنة لمحبي اقتناء الساعات
158	الشحن في ميناء الراين
159	ألمانيا وفرنسا وسويسرا يلتقون في مثلث الدول بميناء بازل
160	كاتدرائية بيستوم في سولوتورن
161	منطقة أوبرتور وبرج الساعة في لوفن
161	بقايا وني فالكنشتاين، بالقرب من بالستال
162	مدينة الرومان «أوجوستا راوريكا»
163	قلعة آر العظيمة
164	شهود من العصور الوسطى لمدينة آراومو برج أوبر
165	فن حي من جون تنجويلي في بازل
166	سويس إندورز، منافسات التنس
167	أكثر الإحتفالات الغنية بالتقاليد السويسرية هواحتفال «فاسناخت» في بازل

روائع الصور من سويسرا

لوتسرن – وسط سويسرا

5 كابلبروكيه وفاسرتورم من معالم لوتسرن
6 منظر من بورجنشتوك
7 بحيرة فيرفالدشتيتر والسفينة البخارية المهيبة «أوري»
8 قطار بيلاتوس ذوالتروس، أشد السكك الحديدية انحداراً في العالم
9 فرونالبشتوك ومنظر مُطل على ريجي
10 مخزن للجبن في منطقة ساندشتاينهوله كالتباخ بمقاطعة لوتسرن
11 الرقص بالأعلام، من العادات السويسرية القديمة
12 بقرة بُنية متناغمة مع جبال الألب
12 ممر كلاوزن الغني بالمنحنيات
13 شولنشلوحت وكوبري تويفلزبروكيه الأسطوري
14 بنر كولين وبرج تزيت هما من معالم مدينة تسوج
14 برج بولفر في تسوج
15 قطار شتانزار هورن التاريخي
16 نيكولاوس فون فلويهيه، شفيع سويسرا
17 منظر مثالي على بحيرة لونجيرن في أوبڤالدن

زيورخ

19 زيورخ ليلاً مشهد يظهر نهر الليمات والمدينة القديمة
20 الاحتفال التقليدي بقدوم الصيف عن طريق حرق رجل الجليد
21 ميدان باراديه بوسط زيورخ
22 كنيسة جروسمونستر، معلم المدينة
23 الليل في نيدردورف
24 الممشى على ضفاف بحيرة زيورخ
25 بيت تقليدي فخم في هيدينجن
26 بوابة إلى العالم، مطار زيورخ
27 تكنوراما في فينترتور، منتزه معايشة التكنولوجيا

شرق سويسرا

29 بانوراما من سانتيس
30 ميدان راتهاوس في شتاين أم راين
31 قلعة مونوفي شافهاوزن
32 شلال نهر الراين ومعايشة الطبيعة
34 مشهد شلال نهر الراين الهائج
34 المباني المزخرفة في جوتلين
35 شتيكبورن على بحيرة اونتر
36 التنوع الكبير للجبن السويسري
37 منطقة رومر هوف التاريخية في أربون
38 حفل نزوح سكان الألب في ابنتسلرلاند
39 واجهات البيوت في ابنتسل
40 موكب أبنتسل للأزياء الشعبية
41 بحيرة ألبزيه، ومشهد من سانتيس
42 سحر المعمار الكنائسي، كنيسة شتيفت في سانت جالن
43 منظر لمدينة رابرسڤيل

جراوبوندن

45 لقطة بانورامية لممر برنينا
47 قطار الجسور «جلاسيه أكبريس» عند فيلزور
48 منافسات هوكي الجليد في دافوس
49 الجليد الخلاب في دافوس
50 «شراع الضوء» في اروزا، للمعماري الشهير ماريوبوتا
51 لقطة لبحيرة سيلزر
52 وادي ڤيامالا الروحاني
52 الصخور الحرارية في فالس
53 قمة العالم – سانت موريتس منتجع الأجازات ذوالشهرة العالمية
54 الشخصية القصصية للأطفال «شيلن أورسلي» في تسوتس
55 قصر الأساطير في تاراسب
55 سقف خشبي جدير بالمشاهدة داخل كنيسة سانت مارتين في تسيليس
56 تجربة القطار في برنينا
57 السحر الإيطالي في بوسكياڤو

58 وادي ڤوردر راين في فليمس
59 الممر المرتفع في سان برناردينو
60 نباتات الألب، زهرة الحسد الفضية
61 الضيافة في كور بمقاطعة جراوبوندن
62 منازل سكان الجبال في سوليو
63 الجدي الجبلي، ملك جبال الألب
64 البيوت التقليدية في موستير
65 القرب من الطبيعة في المحمية الطبيعية

تسين

67 جاندريا وسان سلفاتوريه
68 مياه ماجيا الباردة، إحدى وجهات التنزه المحببة
69 عربة بريد جوتهارد على طريق تريمولا التاريخي
70 كوبري سالتي عند لافيرتيزو
71 الممشى الساحر في اسكونا
72 الأول من أغسطس، العيد القومي السويسري، بحيرة لوجانو
73 منظر من سان سلڤاتورو
74 مصغر سويسرا، صورة طبق الأصل لسويسرا في ميليدا
75 سد ميليدا
76 السلامي، تخصص في تسين
77 منطقة موركوتيه الملونة
78 كهف تسين للهدوء الرومنسي
79 التخصصات الشهية بالمنطقة
80 كوربيو، قرية جبلية تقليدية
81 بولينتا، وتخصص الذرة الشهية
82 جزر بريساجو، جنة وسط بحيرة لاجوماجوري
83 منطقة تشنتوڤاللي الرومانسية

فاليس

85 المجرى الجليدي الأكبر «ألت»، أطول مجرى جليدي في جبال الألب
87 بحيرة شتيلي وقمة ماترهورن المشهورة عالمياً أعلى مدينة تسرمات
88 أكبر البحيرات تحت الأرض في أوروبا في سانت ليونارد

PICTURE RECORD/IMPRESSUM

Peter Steiner, Münsingen 5 – 9, 11 – 19, 21 – 25, 29 – 35, 37, 39, 41 – 45, 52 left, 54 – 58, 61, 62, 64 – 68, 70, 73 – 74, 76, 78, 80, 82, 85, 88, 91 – 92, 94 left, 97, 100 – 103, 109 – 112, 114 – 118, 122 – 125, 127 – 130, 132, 136 left, 140 – 142 left, 144 – 155, 158 – 165

Adelboden Tourismus 143 / Lorenz Beer, Wichtrach 99, 105, 131 right / BLS, Bern 133
Jean-Louis Cochard 119 / Davidoff Swiss Indoors 166 / Emmi Käse, Luzern 10 / FART SA, Locarno – Bodo Ruedi 83 / Foto Beyeler, Zürich 20 / Jungfraubahnen, Interlaken 121, 138
Armin Kovalski 104 / Mendrisiotto Turismo 79, 81 / MCH Messe Schweiz, Basel 156, 157
Peter Niederhauser, Gümligen 49, 59 – 60, 69, 71 – 72, 75, 77, 87, 89, 95, 98, 142 right
Christian Perret 94 right / Rhaetische Bahn, Chur – A. Badrutt 47
Schweiz Tourismus: 131 left, 137/ Lucia Degonda 53, 96, 135 / Roland Gerth 40 / Phillip Giegel 134, 167 / Franziska Pfenniger 90, 113 / Robert Schönbächler 63 / Christof Schürpf 107 / Heinz Schwab 108 / Christof Sonderegger 50, 51
Schweizerisches Trachten- und Alphirtenfest, Unspunnen 38, 126, 136 right / Margherita Spiluttini, Wien 52 right / swiss-image.ch – Andy Mettler 48 / Switzerland Cheese Marketing, Bern 36, 93 / Technorama, Winterthur 27 / Unique, Flughafen Zürich 26 / Victoria Jungfrau Grand Hotel, Interlaken 139.

1. Edition 2009
© Hallwag Kümmerly+Frey Ltd. Schönbühl-Berne, Switzerland

Concept / Editing:	Peter Niederhauser, Lorenz Beer, Monika Würmli
Design:	Hallwag Kümmerly+Frey Ltd. / wa.zwei.werbeagentur
Translations:	Translation Probst, Winterthur
Image processing:	Scanlith Ltd., Gümligen
Project- and Printmanagement:	Media Impression, Switzerland
Overall production:	Hallwag Kümmerly+Frey Ltd., CH-3322 Schönbühl-Berne

www.swisstravelcenter.ch

ISBN 978-3-8283-0673-8